THE

HUNDRED BEST LATIN HYMNS

Selected by

J. S. PHILLIMORE, M.A., LL.D., D.Litt.

Professor of Humanity in the University of Glasgow

GOWANS & GRAY, Ltd.
5 ROBERT STREET, ADELPHI, LONDON, W.C.2
58 CADOGAN STREET, GLASGOW
1926

THE

HUNDRED BEST
LATIN HYMNS

Selected by

WHITTEMORE, M.A., LL.M., Oxon

COLLINS & CO. LTD.
1926

PREFACE

An anthologist cannot please everybody; indeed he is lucky if he can satisfy himself. The choice of a predetermined number of pieces entails some heart-breaking rejections. And yet, gathering his garland in the field of Latin Hymnody, he has perhaps a freer hand than elsewhere: so few have troubled to acquaint themselves with the beauties and perfumes of this flora: so utterly inadequate are the existing anthologies. There is one exception, Chevalier's *Poésie liturgique*; but it is out of print and very hard to procure. Of the rest, some—*e.g.*, Trench—set about their task self-disabled in advance by doctrinal restrictions; others have been antiquated by the publication of so much material in *Analecta Hymnica*.

The Latin of the Catholic Church, vernacular to no man, mother tongue of Christendom, is warm with a vitality of appeal and association that can

H 1*

match any of the national poesies—which, by the
way, owe so much to it. If Samuel Johnson said
truly that a nation is the sole judge of its own poetry,
then those that are *domestici Fidei* will claim that
peculiar competence here, and naturally exercise it
in certain prescriptive preferences. But, as the sure
detection and appraising of poetical quality is no
easy exercise, so is prescription a strong bias; and I
daresay that of such flowers in any given Anthology
as have rotted and smell sweet no longer, more owed
their place to prescription than to the sincere plea of
founder's-kin to the editor's soul. In this case,
besides the hall-mark of received opinion, one has
to reckon with another sort of prescription, the
honours of liturgical usage. And so we are doubly
committed on that side. Probably of any alleged
Hundred Best Hymns—let it be noted here that the
word *hymn* bears in this book its loose, popular
acceptation, without distinction between hymn, trope,
sequence, etc.—there might be fifty about which
everyone on a jury of selectors would easily agree;
and it was my first endeavour that no familiar master-
piece (unless disqualified by extreme length), no

pious lyric canonized long since by the common sense,
should here be missing.   But, that much secured,
one might indulge the hope of springing some agree-
able surprises upon the reader who, even if he has
visited the gardens of Mone, Kehrein, and Chevalier,
has never raked the vaults of *Analecta Hymnica* for
the gems that lie there among so much lumber.

An assertion of personal taste has been ventured
in giving prominence to poets so little known to the
public as Philippe de Grève and Guy de Basoches;
yet, if the case be judged sincerely on poetical merit,
the editor will not be censured for exhibiting in them
as well as in Adam of St Victor the superior excel-
lence of the French work belonging to the XIITH
and XIIITH centuries.   There we have our "*grand
siècle*": Latin hymnody, by some mysterious inner
sympathy, flowers with the florison of the Gothic
architecture and shares its summer.   After A.D. 1300
the art already begins to betray symptoms of fatigue
The Humanist Renascence is our *terminus ad quem*:
not that there were no more poets of any merit in
Latin, but because the prevalence of the vernacular
literatures (and, alas, the pedantry of scholars) reduced

One piece is altogether exceptional. *Adeste,
fideles* is here included, although no trace of it can
be found existing before the year 1736. It is not
impossible that we have in it the remains of a
medieval Christmas Sequence from some manuscript
that was lost in the ravaging of libraries at the
Reformation. If it savours of legal fiction to found
a title of admission upon this mere possibility, I
offer no further defence against any reader that
would wish this hymn away. Why should not an
editor sometimes claim a prerogative? *Adeste,
fideles* had got to be included.

One word about the text of the hymns. Many
editors, and the editors of *Analecta Hymnica* in
particular, are collators, not critics; and in some
instances a hymn has been printed for centuries with
bits of nonsense in it. Others—notably those of
St. Hilary—are only preserved in a highly corrupt
form. In all cases I have accepted the responsi-
bility of emending, where necessary, according to
the canon of probability; and this tacitly, since the
book is meant for a pocket companion and not—
like so many classical editions—an instrument for

other editors. The spelling has been standardized for the sake of convenience.

I gratefully acknowledge my obligations to Professor J. H. Baxter of St. Andrew's University and to Mr. C. J. Fordyce of Balliol College, Oxford, who brought the aid of their minute accuracy to the copying of texts and the correction of proofs for me. Mr. A. L. Gowans has played the part of a careful and patient collaborator.

J. S. P.

JULY, 1925.

INDEX INITIORUM

Miserere, Domine ! Miserere, Christe !
　　Si ad similitudinem tuam, Deus Pater,
　　Et ad imaginem Filii homo factus sum,
　　Vivam creatus saeculis
　　Quia me cognovit Filius.
Miserere, Domine ! Miserere, Christe !
　　Amavi mundum, quia tu mundum feceras ;
　　Detentus mundo sum dum invidet mundus tuis :
　　Nunc odi mundum quia nunc percepi Spiritum.
Miserere, Domine ! Miserere, Christe !
　　Succurre lapsis, Domine ;
　　Succurre paenitentibus,
　　Quia divino et sancto judicio tuo quod peccavi
　　　　mysterium est.
Miserere, Domine ! Miserere, Christe !
　　Cognosco, Domine, mandatum tuum.
　　Cognosco reditum in animâ scriptum meâ ;
　　Propero, si jubes redire, nostri Salvator Deus.
Miserere, Domine ! Miserere, Christe !
　　Diu repugno, diu resisto inimico meo,
　　Sed adhuc mihi caro est ;
　　In quâ victus Diabolus tibi triumphum magnum,
　　Nobis fidei murum dedit.
Miserere, Domine ! Miserere, Christe !
　　Velle mihi adjacet mundum et terras linquere,
　　Sed imbecilla pluma est velle sine subsidio tuo ;
　　Da fidei pennas, ut volem sursum Deo.
Miserere, Domine ! Miserere, Christe !
　　Iam portas quaero Spiritûs, quas pandit Spiritus
　　Testimonium de Christo dicens
　　Et quid sit mundus docens.
Miserere, Domine ! Miserere, Christe !
　　Patre qui genitus semper,

2

C. MARII VICTORINI AFRI

> Qui repraesentas Deum,
> Da claves caeli,
> Atque in me vince Diabolum
> In sede lucis ut quiescam
> Gratiâ salvatus tuâ.

SANCTI HILARII PICTAVIENSIS

2.   *Hymnus antelucanus de Christo*

HYMNUM dicat turba fratrum, hymnum cantus
   personet ;
Christo regi concinentes laudem demus debitam.
   Tu Dei de Corde Verbum, tu Via, tu Veritas,
Jesse virga tu vocaris, te Leonem legimus.
Dextra Patris, Mons et Agnus, Angularis tu Lapis,
Sponsus idem vel Columba, Flamma, Pastor, Janua.
   In prophetis inveniris nostro natus saeculo ;
Ante saecla tu fuisti Factor primi saeculi.
   Factor caeli, terrae factor, congregator tu maris,
Omniumque tu creator quae Pater nasci jubet,
Virginis receptus membris Gabrielis nuntio.
   Crescit alvus prole sanctâ ; nos monemur credere
Rem novam nec ante visam, Virginem puerperam.
   Tunc Magi stellam secuti primi adorant parvulum,
Offerentes tus et aurum, digna regi munera.
Mox Herodi nuntiatum est : invidens potentiae
Tum jubet parvos necari, turbam facit martyrum.
   Fertur Infans occulendus Nili flumen quo fluit,
Qui refertur post Herodem nutriendus Nazareth.
   Multa parvus, multa adultus signa fecit caelitus,
Quae latent et quae leguntur, coram multis testibus ;

3

Patrem immensae majestatis,
Venerandum tuum verum unigenitum Filium,
Sanctum quoque Paraclitum Spiritum.
Tu rex gloriae, Christe, * tu Patris sempiternus es
filius.
Tu ad liberandum suscepturus hominem * non hor-
ruisti Virginis uterum.
Tu devicto mortis aculeo * aperuisti credentibus
regna caelorum.
Tu ad dexteram Dei sedens in gloriâ Patris * judex
crederis esse venturus.
Te ergo quaesumus, tuis famulis subveni ;
Quos pretioso sanguine redemisti,
Aeternâ fac cum sanctis tuis in gloriâ munerari.
Salvum fac populum tuum, Domine, * et benedic
hereditati tuae.
Et rege eos et extolle illos usque * in aeternum.
Per singulos dies * benedicimus te,
Et laudamus nomen tuum * in saeculum et in sae-
culum saeculi.
Dignare, Domine, die isto * sine peccato nos
custodire.
Miserere nostri, * Domine, miserere nostri.
Fiat misericordia tua, Domine, super nos * quem-
admodum speravimus in te.

SANCTI AMBROSII

4. *Hymnus hiemalis sive ad gallicinium*

AETERNE rerum conditor,
Noctem diemque qui regis

SANCTI AMBROSII

Et temporum das tempora
Ut alleves fastidium,
   Praeco diei jam sonat,
Noctis profundae pervigil,
Nocturna lux viantibus
A nocte noctem segregans.

   Hoc excitatus lucifer
Solvit polum caligine;
Hoc omnis erronum cohors
Viam nocendi deserit.

   Hoc nauta vires colligit
Pontique mitescunt freta:
Hoc ipse Petra Ecclesiae
Canente culpam diluit.

   Surgamus ergo strenue:
Gallus jacentes excitat
Et somnolentos increpat,
Gallus negantes arguit.

   Gallo canente spes redit,
Aegris salus refunditur,
Mucro latronis conditur,
Lapsis fides revertitur.

   Jesu, labantes respice,
Et nos videndo corrige:
Si respicis, lapsûs cadunt
Fletuque culpa solvitur.

   Tu lux refulge sensibus
Mentisque somnum discute:
Te nostra vox primum sonet
Et ora solvamus tibi.

5.   *Hymnus vespertinus ad horam*
incensi

DEUS creator omnium
Polique rector, vestiens
Diem decoro lumine,
Noctem soporis gratiâ,

    Artûs solutos ut quies
Reddat laboris usui
Mentesque fessas allevet
Luctûsque solvat anxios ;

    Grates peracto jam die
Et noctis exortu preces,
Voti reos ut adjuves,
Hymnum canentes, solvimus.

    Te cordis ima concinant,
Te vox canora concrepet,
Te diligat castus amor,
Te mens adoret sobria,

    Ut cum profunda clauserit
Diem caligo noctium
Fides tenebras nesciat
Et nox fide reluceat.

    Dormire mentem ne sinas :
Dormire culpam noverit ;
Castis fides refrigerans
Somni vaporem temperet.

    Exuta sensu lubrico
Te cordis ima somnient ;
Nec hostis invidi dolo
Pavor quietos suscitet.

    Christum rogemus et Patrem
Christi Patrisque Spiritum :

Unum potens per omnia
Fove precantes, Trinitas.

6. *Hymnus in communi virginum*

JESU, corona virginum,
Quem mater illa concipit
Quae sola virgo parturit,
Haec vota clemens accipe,
    Qui pascis inter lilia
Saeptus choreis virginum,
Sponsus decorus gloriâ,
Sponsisque reddis praemia.
    Quocumque pergis, virgines
Sequuntur atque laudibus
Post te canentes cursitant
Hymnosque dulces personant.
    Te deprecamur, largius
Nostris adauge mentibus
Nescire prorsus omnia
Corruptionis vulnera.

7. *Hymnus matutinus*

SPLENDOR paternae gloriae,
De luce lucem proferens,
Lux lucis, et fons luminis
Dies dierum illuminans ;
    Verusque sol, illabere
Micans nitore perpeti ;
Jubarque Sancti Spiritûs
Infunde nostris sensibus.

9

Votis vocemus et Patrem,
Patrem perennis gloriae,
Patrem potentis gratiae,
Culpam releget lubricam,
    Informet actûs strenuos,
Dentem retundat invidi,
Casûs secundet asperos,
Donet gerendi gratiam,
    Mentem gubernet et regat
Casto fideli corpore ;
Fides calore ferveat,
Fraudis venena nesciat.
    Christusque nobis sit cibus
Potusque noster sit fides :
Laeti bibamus sobriam
Ebrietatem Spiritûs.
    Laetus dies hic transeat :
Pudor sit ut diluculum,
Fides velut meridies,
Crepusculum mens nesciat.
    Aurora cursûs provehit :
Aurora totus prodeat
In Patre totus Filius
Et totus in Verbo Pater.

8. *Hymnus in nocte natali Domini*

VENI, Redemptor gentium,
Ostende partum Virginis :
Miretur omne saeculum :
Talis decet partus Deum.
    Non ex virili semine

Sed mystico spiramine
Verbum Dei factust caro
Fructusque ventris floruit.

    Alvus tumescit Virginis,
Claustrum pudoris permanet;
Vexilla virtutum micant:
Versatur in templo Deus.

    Procedat e thalamo suo,
Pudoris aulâ regiâ,
Geminae gigas substantiae
Alacris ut currat viam!

    Egressus ejus a Patre,
Regressus ejus ad Patrem;
Excursus usque ad inferos,
Recursus ad sedem Dei.

    Aequalis aeterno Patri
Carnis trophaeo cingere,
Infirma nostri corporis
Virtute firmans perpeti.

    Praesepe jam fulget tuum,
Lumenque nox spirat suum;
Quod nulla vox interpolet
Fideque jugi luceat.

AURELII PRUDENTII CLEMENTIS

9.   *Hymnus ad galli cantum*

    ALES diei nuntius
Lucem propinquam praecinit:
Nos excitator mentium
Jam Christus ad vitam vocat.

Auferte, clamat, *lectulos*
Aegros, soporos, desides :
Castique, recti ac sobrii
Vigilate, jam sum proximus.

Post solis ortum fulgidi
Serum est cubile spernere,
Ni parte noctis additâ
Tempus labori adjeceris.

Vox ista quâ strepunt aves
Stantes sub ipso culmine
Paulo antequam lux emicet,
Nostri figura est judicis.

Tectos tenebris horridis
Stratisque opertos segnibus
Suadet quietem linquere,
Jam jamque venturo die:

Ut, cum coruscis flatibus
Aurora caelum sparserit,
Omnes labore exercitos
Confirmet ad spem luminis.

Hic somnus ad tempus datus
Est forma mortis perpetis ;
Peccata ceu nox horrida
Cogunt jacêre ac stertere.

Sed vox ab alto culmine
Christi docentis praemonet
Adesse jam lucem prope,
Ne mens sopori serviat :

Ne somnus usque ad terminos
Vitae socordis opprimat
Pectus sepultum crimine
Et lucis oblitum suae.

Ferunt vagantes daemonas,

Laetos tenebris noctium,
Gallo canente exterritos
Sparsim timere et cedere.

Invisa nam vicinitas
Lucis, salutis, numinis,
Rupto tenebrarum situ
Noctis fugat satellites.

Hoc esse signum praescii
Norunt repromissae spei,
Quâ nos soporis liberi
Speramus adventum Dei.

Quae vis sit hujus alitis
Salvator ostendit Petro,
Ter antequam gallus canat
Sese negandum praedicans.

Fit namque peccatum prius
Quam praeco lucis proximae
Inlustret humanum genus
Finemque peccandi ferat.

Flevit negator denique
Ex ore prolapsum nefas,
Cum mens maneret innocens
Animusque servaret fidem.

Nec tale quidquam postea
Linguae locutus lubrico est,
Cantuque galli cognito
Peccare justus destitit.

Inde est quod omnes credimus,
Illo quietis tempore
Quo gallus exultans canit,
Christum redisse ex inferis.

Tunc mortis oppressus vigor,
Tunc lex subacta est tartari,

Tunc vis diei fortior
Noctem coegit cedere.
  Jam jam quiescant inproba,
Jam culpa furva obdormiat,
Jam noxa letalis suum
Perpessa somnum marceat.
  Vigil vicissim spiritus
Quodcunque restat temporis,
Dum meta noctis clauditur,
Stans ac laborans excubet.
  Jesum ciamus vocibus
Flentes, precantes, sobrii;
Intenta supplicatio
Dormire cor mundum vetat.
  Sat convolutis artubus
Sensum profunda oblivio
Pressit, gravavit, obruit
Vanis vagantem somniis.
  Sunt nempe falsa et frivola,
Quae mundiali gloriâ
Ceu dormientes egimus:
Vigilemus, hic est veritas.
  Aurum, voluptas, gaudium,
Opes, honores, prospera,
Quaecunque nos inflant mala,
Fit mane, nil sunt omnia.
  Tu, Christe, somnum dissice,
Tu rumpe noctis vincula,
Tu solve peccatum vetus
Novumque lumen ingere.

10.   *Hymnus matutinus*

NOX et tenebrae et nubila,
Confusa mundi et turbida,
—Lux intrat, albescit polus,
Christus venit—discedite.

Caligo terrae scinditur
Percussa solis spiculo,
Rebusque jam color redit
Vultu nitentis sideris.

Sic nostra mox obscuritas
Fraudisque pectus conscium
Ruptis retectum nubibus
Regnante pallescit Deo.

Tunc non licebit claudere
Quod quisque fuscum cogitat,
Sed mane clarescent novo
Secreta mentis prodita.

Fur ante lucem squalido
Inpune peccat tempore,
Sed lux dolis contraria
Latêre furtum non sinit.

Versuta fraus et callida
Amat tenebris obtegi,
Aptamque noctem turpibus
Adulter occultus fovet.

Sol ecce surgit igneus,
Piget, pudescit, paenitet ;
Nec teste quisquam lumine
Peccare constanter potest.

Quis mane sumptis nequiter
Non erubescit poculis,
Cum sit libido temperans

Castumque nugator sapit?
  Nunc, nunc severum vivitur,
Nunc nemo temptat ludicrum,
Inepta nunc omnes sua
Vultu colorant serio.

  Haec hora cunctis utilis,
Quâ quisque, quod studet, gerat,
Miles, togatus, navita,
Opifex, arator, institor.

  Illum forensis gloria,
Hunc triste raptat classicum,
Mercator hinc et rusticus
Avara suspirant lucra.

  At nos lucelli ac faenoris
Fandique prorsus nescii,
Nec arte fortes bellicâ,
Te, Christe, solum novimus.

  Te mente purâ et simplici,
Te voce, te cantu pio
Rogare curvato genu
Flendo et canendo discimus.

  His nos lucramur quaestibus,
Hac arte tantum vivimus,
Haec inchoamus munera,
Cum sol resurgens emicat.

  Intende nostris sensibus,
Vitamque totam dispice;
Sunt multa fucis inlita
Quae luce purgentur tuâ.

  Durare nos tales jube
Quales remotis sordibus
Nitêre pridem jusseras
Jordane tinctos flumine.

Quodcunque nox mundi dehinc
Infecit atris nubibus,
Tu, Rex, Eoi sideris
Vultu sereno inlumina.

Tu, Sancte, qui taetram picem
Candore tingis lacteo
Ebenoque crystallum facis,
Delicta terge livida.

Sub nocte Jacob caerulâ
Luctator audax angeli,
Eo usque dum lux surgeret,
Sudavit inpar proelium;

Sed cum jubar claresceret,
Lapsante claudus poplite
Femurque victus debile
Culpae vigorem perdidit.

Nutabat inguen saucium,
Quae corporis pars vilior
Longeque sub cordis loco
Diram fovet libidinem.

Hae nos docent imagines,
Hominem tenebris obsitum,
Si forte non cedat Deo,
Vires rebelles perdere.

Erit tamen beatior,
Intemperans membrum cuï
Luctando claudum et tabidum
Dies oborta invenerit.

Tandem facessat caecitas
Quae nosmet in praeceps diu
Lapsos sinistris gressibus
Errore traxit devio.

Haec lux serenum conferat.

H 3   17

Purosque nos praestet sibi:
Nihil loquamur subdolum,
Volvamus obscurum nihil.
   Sic tota decurrat dies,
Ne lingua mendax, ne manus
Oculive peccent lubrici,
Ne noxa corpus inquinet.
   Speculator adstat desuper
Qui nos diebus omnibus
Actûsque nostros prospicit
A luce primâ in vesperum.
   Hic testis, hic est arbiter,
Hic intuetur quidquid est
Humana quod mens concipit:
Hunc nemo fallit judicem.

SEDULII

II. *Hymnus de Christo abecedarius*

A SOLIS ortûs cardine
  Adusque terrae limitem
  Christum canamus principem
  Natum Mariâ virgine.
Beatus auctor saeculi
  Servile corpus induit,
  Ut carne carnem liberans
  Non perderet quos condidit.
Clausae parentis viscera
  Caelestis intrat gratia:
  Venter puellae bajulat
  Secreta quae non noverat.

Domus pudici pectoris
  Templum repente fit Dei :
  Intacta nesciens virum
  Verbo concepit Filium.
Enixa est puerpera
  Quem Gabriel praedixerat,
  Quem matris alvo gestiens
  Clausus Johannes senserat.
Faeno jacêre pertulit,
  Praesepe non abhorruit,
  Parvoque lacte pastus est
  Per quem nec ales esurit.
Gaudet chorus caelestium
  Et angeli canunt Deum
  Palamque fit pastoribus
  Pastor Creatorque omnium.
Hostis Herodes impie,
  Christum venire quid times ?
  Non eripit mortalia
  Qui regna dat caelestia.
Ibant Magi quam viderant
  Stellam sequentes praeviam :
  Lumen requirunt lumine :
  Deum fatentur munere.
Katerva matrum personat
  Collisa deflens pignora
  Quorum tyrannus milia
  Christo sacravit victimas.
Lavacra puri gurgitis
  Coelestis Agnus attigit :
  Peccata mundi qui tulit
  Nos abluendo sustulit.
Miraculis dedit fidem

Habere se Deum patrem,
Infirma sanans corpora
Et suscitans cadavera.
Novum genus potentiae :
Aquae rubescunt hydriae,
Vinumque jussa fundere
Mutavit unda originem.
Orat salutem servulo
Nixus genu centurio :
Credentis ardor plurimus
Extinxit ignes febrium.
Petrus per undas ambulat
Christi levatus dexterâ :
Natura quam negaverat,
Fides paravit semitam.
Quartâ die jam foetidus
Vitam recepit Lazarus
Mortisque liber vinculis
Factus superstes est sibi.
Rivos cruoris morbidi
Contacta vestis obstruit :
Fletu rigante supplicis
Arent fluenta sanguinis.
Solutus omni corpore,
Jussus repente surgere,
Suis vicissim gressibus
Aeger vehebat lectulum.
Tunc ille Judas carnifex,
Ausus magistrum tradere,
Pacem ferebat osculo
Quam non habebat pectore.
Verax datur fallacibus,
Pium flagellat impius,

SEDULII

Crucique fixus innocens
Conjungitur latronibus.
Xto myrrham post sabbatum
Quaedam vehebant compares,
Quas allocutus angelus
Vivum sepulcro non tegi.
Ymnis, venite, dulcibus
Omnes canamus subditum
Christi triumpho tartarum,
Qui nos redemit venditus.
Zelum draconis invidi
Et os leonis pessimi
Calcavit unicus Dei
Seseque caelis reddidit.

SANCTI ORIENTII

12.   *Oratio*

TIBIQUE, Domine, caelum Cherubim vindicant
Et illa moles quadriformis machinae
Te sempiterno confitetur carmine.
          Et nos imago consonantis cantici
          Amen sonamus, Alleluia dicimus.
Te septem primi deprecantur angeli,
Ceu civitatis septem principes tuae,
Solio propinqui, janitores proximi.
          Et nos imago consonantis cantici
          Amen sonamus, Alleluia dicimus.
Te solis astrum cum sorore menstruâ,
Vergiliae, Jugula, Vesperugo, Lucifer,

21

Omnesque guttae praemicantes invocant.
Et nos imago consonantis cantici
Amen sonamus, Alleluia dicimus.

Aer aquosus sive sudus invicem,
Simulque venti, pluviae, grando, fulmina
Ritu suomet conditorem concinunt.
Et nos imago consonantis cantici
Amen sonamus, Alleluia dicimus.

Solum stativum cum feturâ mobili,
Quae paret homini quamque venator capit,
Tibi cantat uni, conticescit ceteris.
Et nos imago consonantis cantici
Amen sonamus, Alleluia dicimus.

Oceane, cinctam qui coerces aream,
Et intestina fossa medii gurgitis,
Deum sonatis cum maritimis beluis.
Et nos imago consonantis cantici
Amen sonamus, Alleluia dicimus.

Infernae sedis flamma, furva tartara,
Trucesque praesidentes pariter angeli,
Deum minaci decantatis carmine.
Et nos imago consonantis cantici
Amen sonamus, Alleluia dicimus.

ANONYMI

13. *Ambrosianum tempore Paschali*

AURORA lucis rutilat,
Caelum laudibus intonat,
Mundus exsultans jubilat,
Gemens infernus ululat,

ANONYMI

Cum rex ille fortissimus
Mortis confractis viribus
Pede conculcans tartara
Solvit catenâ miseros,
   Ille qui clausus lapide
Custoditur sub milite,
Triumphans pompâ nobili
Victor surgit de funere.
   Solutis jam gemitibus
Et inferni doloribus,
Quia surrexit Dominus
Splendens clamat angelus.
   Tristes erant apostoli
De nece sui Domini
Quem poenâ mortis crúdeli
S̆ervi damnarant impii.
   Sermone blando angelus
Praedixit mulieribus,
In Galilaeâ Dominus
Videndus est quantocius.
   Illae dum pergunt concite
Apostolis hoc dicere,
Videntes eum vivere,
Osculant pedes Domini.
   Quo agnito discipuli
In Galilaeam propere
Pergunt videre faciem
Desideratam Domini.
   Claro Paschali gaudio
Sol mundo nitet radio
Cum Christum jam apostoli
Visu cernunt corporeo.
   Ostensa sibi vulnera

ANONYMI

In Christi carne fulgida
Resurrexisse Dominum
Voce fatentur publicâ.
　　Rex Christe clementissime,
Tu corda nostra posside,
Ut tibi laudes debitas
Reddamus omni tempore.

ANONYMI HIBERNI

14.   *Hymnus ad communionem*

　SANCTI, venite, Christi corpus sumite,
Sanctum bibentes, quo redempti, sanguinem,
　Salvati Christi corpore et sanguine:
A quo refecti laudes dicamus Deo,
　Hoc sacramento corporis et sanguinis
Omnes exuti ab inferni faucibus.
　Dator salutis, Christus, Filius Dei,
Mundum salvavit per crucem et sanguinem.
　Pro universis immolatus Dominus
Ipse sacerdos exstitit et hostia.
　Legem praecepit immolari hostias
Quâ adumbrantur divina mysteria:
　Lucis indultor et salvator omnium
Praeclaram Sanctis largitus est gratiam.
　Accedant omnes purâ mente creduli,
Sumant aeternam salutis custodiam.
　Sanctorum custos rector quoque, Dominus,
Vitae perennis largitor credentibus,
　Caelestem panem dat esurientibus,
De fonte vivo praebet sitientibus.

24

Alpha et Omega, ipse Christus Dominus,
Venit, venturus judicare homines.

15.   *In Cenâ Domini*

Hymnus ad chrisma consecrandum

O REDEMPTOR, sume carmen temet concinentium.
Audi, judex mortuorum, una spes mortalium,
Audi voces proferentum donum pacis praevium.
O Redemptor, sume carmen temet concinentium.
Arbor feta almâ luce hoc sacrandum protulit,
Fert hoc prona praesens turba salvatori saeculi.
O Redemptor, sume carmen temet concinentium.
Stans ad aram immo supplex infulatus pontifex
Debitum persolvit omne consecrato chrismate.
O Redemptor, sume carmen temet concinentium.
Consecrare tu dignare, rex perennis patriae,
Hoc olivum, signum vivum, jura contra daemonum.
O Redemptor, sume carmen temet concinentium.
Ut novetur sexus omnis unctione chrismatis
Et medetur sauciata dignitatis gloria.
O Redemptor, sume carmen temet concinentium.
Lotâ fronte sacro fonte aufugantur crimina ;
Unctâ fronte sacrosancta influunt charismata.
O Redemptor, sume carmen temet concinentium.
Corde natus ex parentis, alvum implens virginis,
Praesta lucem, claude mortem chrismatis consortibus
O Redemptor, sume carmen temet concinentium.
Sit dies haec festa nobis saeculorum saeculis,
Sit sacrata dignâ laude nec senescat tempore.
O Redemptor, sume carmen temet concinentium.

Et morte vitam reddidit.
    O Crux, ave, spes unica,
Hoc Passionis tempore
Auge piis justitiam
Reisque donâ veniam.
        Te summa, Deus, Trinitas,
Collaudet omnis spiritus :
Quos per Crucis mysterium
Salvas, rege per saecula.

ANONYMI

18. *Hymnus in dedicatione ecclesiae*

URBS beata Jerusálem, dicta pacis visio,
Quae construitur in caelis vivis ex lapidibus
Et angelis coornatur ut sponsa comitibus,
    Nova veniens e caelo, nuptiali thalamo
Praeparatur, ut sponsata copuletur Domino.
Plateae et muri ejus ex auro purissimo ;
    Portae nitent margaritis, adytis patentibus ;
Et virtute meritorum illuc introducitur
Omnis qui pro Christi nomine hic in mundo premitur.
    Tunsionibus, pressuris expoliti lapides
Suis coaptantur locis per manum Artificis,
Disponuntur permansuri sacris aedificiis.
    Angularis fundamentum lapis Christus missus est,
Qui compage parietis in utroque nectitur,
Quem Sion sancta suscepit, in quo credens permanet.
    Omnis illa Deo sacra et dilecta civitas,
Plena modulis in laude et canore jubilo,
Trinum Deum Unicumque cum favore praedicat.

ANONYMI

Hoc in templo, summe Deus, exoratus adveni
Et clementi bonitate precum vota suscipe,
Largam benedictionem hic infunde jugiter.

BAEDAE VENERABILIS

19. Hymnus in natali Sanctae Dei Genetricis

ADESTO, Christe, vocibus,
Inesto nostris mentibus,
Tuâ benignus dexterâ
Choros canentum protege.
    Qui natus es de virgine
Nostrae salutis gratiâ,
Da pura nobis pectora,
Da membra casta corporis.
    Et tu, Beata prae omnibus
Virgo Maria feminis,
Dei Genétrix inclyta,
Nostris faveto laudibus;
    Pudica cujus viscera
Sancto dicata spiritu
Davídis ortum semine
Regem ferebant saeculi;
    Beata cujus ubera
Summo repleta munere
Terris alebant unicam
Terrae polique gloriam;
    Festiva Legis quae sacris
Ad alta Templi limina
Caelestis aulae principem
Ulnis tulisti dulcibus;

Virgo singularis,
Inter omnes mitis,
Nos culpis solutos
Mites fac et castos.

Vitam praesta puram,
Iter para tutum,
Ut videntes Jesum
Semper collaetemur.

Sit laus Deo Patri,
Summum Christo decus,
Spiritui Sancto
Honor tribus unus.

MAGNENTII HRABANI MAURI

21.   *Hymnus in Pentecoste*

VENI, Creator Spiritus,
Mentes tuorum visita ;
Imple supernâ gratiâ
Quae tu creasti pectora,

Qui Paraclítus diceris,
Donum Dei altissimi,
Fons vivus, ignis, caritas
Et spiritalis unctio.

Tu septiformis munere,
Dextrae Dei tu digitus,
Tu rite promisso Patris
Sermone ditans guttura.

Accende lumen sensibus,
Infunde amorem cordibus,
Infirma nostri corporis

Virtute firmans perpeti.
  Hostem repellas longius
Pacemque dones protinus;
Ductore sic te praevio
Vitemus omne noxium.
  Per te sciamus, da, Patrem
Noscamus atque Filium,
Te utriusque Spiritum
Credamus omni tempore.
  Praesta, Pater, piissime,
Patrique compar Unice,
Cum Spiritu Paráclito
Regnans per omne saeculum.

ANONYMI ITALI

22. *Hymnus tempore Passionis*

  CUM ascendisset Dominus
Super Crucis patibulum,
Obscurant lumen sidera,
Tenébrae replent saeculum.
  Judaei per arundinem
Dant sitienti poculum,
Acetum et fel mysticum
Propinant ante Dominum.
  Emisit namque Spiritum.
Mors mortem vicit omnium;
Sepultus est in tumulo.
Adam requirens optimus
  Descendit et ad inferos,
Confregit portas aereas

H 4

Multiplicavi genimina ejus:
Et campi tui replentur ubertate
Et valles abundabunt frumento,
Et hymnum dicent in gloriâ.

POPULUS. *Jesu, testis in caelo fidelis,*
Partem in primâ resurrectione da nobis
Ut ubi es tu et nos simus
Exultantes in gloriâ tuâ.

BEATI NOTKERI BALBULI

24. *In Nativitate Domini*

EJA, recolamus laudibus piis digna
Hujus diei carmina,
    In quâ nobis lux oritur gratissima,
Noctis interit nebula,
    Pereunt nostri criminis umbracula.
        Hodie sacrata
            Maris stella
                Est enixa,
                    Novae salutis gaudia,
            Quem tremunt barathra.
                Mors cruenta
                    Pavet ipsa
                        A quo peribit mortua;
                    Gemit capta
                        Pestis antiqua;
            Coluber lividus perdit spolia;
        Homo lapsus, ovis abducta,
            Revocatur ad aeterna gaudia.
        Gaudent in hac die agmina

Angelorum caelestia,
Quia erat drachma decima
Perdita et est inventa.
O culpa nimium beata,
Quâ redempta Natura!
Deus qui creavit omnia
Nascitur ex feminâ,
Mirabilis naturâ
Mirifice indutâ,
Assumens quod non erat,
Manens quod erat.
Induitur naturâ
Divinitas humanâ.
Quis audivit talia,
Dic, rogo, facta?
Quaerere venerat
Pastor pius quod perierat;
Induit galeam,
Certat ut miles armaturâ.
Prostratus in sua
Propria
Ruit hostis spicula:
Auferuntur tela
In quibus fidebat;
Divisa
Sunt illius spolia,
Capta praeda sua;
Christi pugna fortissima
Salus nostra est vera,
Qui nos suam ad patriam
Duxit post victoriam,
In quâ sibi laus est aeterna.

25. *Hymnus ad Sanctum Spiritum*

VENI, Sancte Spiritus,
Et emitte caelitus
   Lucis tuae radium :
Veni, pater pauperum,
Veni, dator munerum,
Veni, lumen cordium.

Consolator optime,
Dulcis hospes animae,
   Dulce refrigerium :
In labore requies,
In aestu temperies,
   In fletu solatium.

O lux beatissima,
Reple cordis intima
   Tuorum fidelium :
Sine tuo numine
Nihil est in homine,
   Nihil est innoxium.

Lava quod est sordidum,
Riga quod est aridum,
Sana quod est saucium,
Flecte quod est rigidum,
Fove quod est frigidum,
Rege quod est devium.

Da tuis fidelibus
In te confidentibus
   Sacrum septenarium ;

Da virtutis meritum,
Da salutis exitum,
Da perenne gaudium.

ANONYMI

26. *Sequentia Paschalis*

VICTIMAE Paschali laudes immolent Christiani.
        Agnus redemit oves;
Christus innocens Patri reconciliavit peccatores.
Mors et Vita duello conflixere mirando :
Dux vitae mortuus regnat vivus.

Dic nobis, Maria,
Quid vidisti in viâ ?
Sepulcrum Christi viventis
Et gloriam vidi resurgentis.

Dic nobis, Maria,
Quid vidisti in viâ ?
Angelicos testes,
Sudarium et vestes.

Dic nobis, Maria,
Quid vidisti in viâ ?
Surrexit Christus spes mea :
Praecedet vos in Galilaeam.

Credendum est magis soli Mariae veraci
Quam Judaeorum turbae fallaci.
Scimus Christum surrexisse a morte vere :
Tu nobis, victor, Rex, miserere.

39

27.   *De Beatâ Mariâ Virgine*

O MIRA caritas,
    Mira bonitas !
    Immortalitas
    Et aeternitas !
Comparantur imis caelestia.

O rara veritas,
    Vera raritas !
    Tota deitas
    Et immensitas
Clauditur in ventris angustiâ.

O virgo virginum,
    Lumen luminum !
    Portans Dominum
    Regem omnium
Porta non aperta fit pervia.

O vallis humilis !
    Non arabilis
    Neque satilis,
    Tamen fertilis,
Caeli fecundatur a pluviâ.

    Stupet Natura
        Nova jura ;
Mira mirum stupent hoc omnia.

    Tu, virga Jesse,
        Mater esse
Meruisti regis et filia.

Rubus urens
Non comburens,
Vas signatum,
Vas ditatum,
Vas imbutum melle et balsamo!

Non te laedit
Dum procedit
Sol de stellâ,
Rex de cellâ,
Virginalis sponsus de thalamo.

Fulgida Rachel
Placens Israel,
Quem Emmanuel,
Teste Gabriel,
Benedixit in mulieribus!

Aaron arida
Virga florida,
Nuce sapida,
Stirpe gravida
Nucem quam tulisti visceribus!

Tu fecunda caeli rore
    Caelum claudis utero.
Tu fulgens amicta sole
    Vertice stellifero,

Clarior sideribus,
    Pauperibus irradia.
Draco jam praevaluit,
    Convaluit injuria.

GUIDONIS ARRETINI MONACHI

Filia Sion,
Terram Babylon
Sternens, Gabaon
Arnon et Ammon!
Nulla dominetur iniquitas.

Spes humilium,
Fer auxilium,
Placa filium.
Post exilium
Cedat exactoris hostilitas.

Tuti sumus te tutante,
Virgo potestatis tantae,
Dei ligans omnipotentiam:
Desperatis
In peccatis
Natum natis
Placa gratis,
Meruisti enim tu gratiam.

HERMANNI CONTRACTI MONACHI

28. *Antiphona major de Beatâ Mariâ Virgine*

ALMA Redemptoris mater, quae pervia caeli
Porta manes et stella maris, succurre cadenti
Surgere qui curat populo. Tu quae genuisti
Naturâ mirante tuum sanctum genitorem,
Virgo prius ac posterius, Gabrielis ab ore
Sumens illud *Ave* peccatorum miserere.

29. *Antiphona major de Beatâ Mariâ Virgine*

SALVE, Regina misericordiae,
Vita, dulcedo et spes nostra, salve!
Ad te clamamus exules filii Evae,
Ad te suspiramus gementes et flentes
In hac lacrimarum valle.
Eja ergo, O advocata nostra,
Illos tuos misericordes oculos ad nos converte,
Et Jesum, benedictum fructum ventris tui,
Nobis post hoc exilium ostende.
O clemens, O pia,
O dulcis Maria!

SANCTI PETRI DAMIANI

30.   *De Beatâ Mariâ Virgine*

QUIS est hic
  Qui pulsat ad ostium,
  Noctis rumpens somnium?
Me vocat, *O*
      Virginum pulcherrima,
Soror, conjunx,
      Gemma splendidissima,
Cito surgens
      Aperi, dulcissima.

Ego sum,
  Summi Regis filius,
  Primus et novissimus,

43

SANCTI PETRI DAMIANI

Qui de caelis
In has veni tenebras
Liberare
Captivorum animas,
Passus mortem
Et multas injurias.

Mox ego
Dereliqui lectulum.
Cucurri ad pessulum
Ut dilecto
Tota domus pateat,
Et mens mea
Planissime videat
Quem videre
Maxime desiderat.

At ille
Jam inde transierat;
Ostium reliquerat.
Quid ergo mi-
serrima, quid facerem?
Lacrimando
Sum secuta juvenem,
Manûs cujus
Plasmaverunt hominem.

Vigiles
Urbis invenerunt me;
Exspoliaverunt me;
Abstulerunt
Et dederunt pallium;
Cantaverunt

SANCTI PETRI DAMIANI

> Mihi novum canticum
> Quo in Regis
> Inducar palatium.

31. *De gloriâ Paradisi*

AD perennis vitae fontem mens sitivit arida;
Claustra carnis praesto frangi clausa quaerit anima;
Gliscit, ambit, eluctatur exul frui patriâ.

Dum pressuris atque aerumnis se gemit obnoxiam,
Quam amisit dum deliquit contemplatur gloriam:
Praesens malum auget boni perditi memoriam.

Nam quis promat summae pacis quanta sit laetitia?
Ubi vivis margaritis surgunt aedificia,
Auro celsa micant tecta, radiant triclinia.

Solis gemmis pretiosis haec structura nectitur;
Auro mundo tamquam vitro urbis via sternitur;
Abest limus, deest fimus, lues nulla cernitur.

Hiems horrens, aestas torrens, illic numquam
    saeviunt;
Flos perpetuus rosarum ver agit perpetuum,
Candent lilia, rubescit crocus, sudat balsamum.

Virent prata, vernant sata, rivi mellis influunt;
Pigmentorum spirat odor, liquor et aromatum;
Pendent poma floridorum non lapsura nemorum.

Non alternat luna vices, sol vel cursus siderum;
Agnus est felicis urbis lumen inocciduum;
Nox et tempus desunt ei, diem fert continuum.

Nam et sancti quique velut sol praeclarus rutilant;
Post triumphum coronati mutue conjubilant
Et prostrati pugnas hostis jam securi numerant.

Omni labe defaecati carnis bella nesciunt;

45

Diurnum congruit
  Diei canticum.
Cum Christo prodeunt
  Cuncta de latebris,
Nec locum deserit
  Lux tanta tenebris.

Velamen exuunt
  Figurae mysticae ;
Est in re veritas
  Jam non in schemate ;
Promissa liquido
  Complens prophetica
Iota vel apicem
  Non sinit irrita.

Transacto flebili
  De morte vespere
Cum vitâ redditur
  Mane laetitiae :
Resurgit Dominus,
  Apparent angeli,
Custodes fugiunt
  Splendore territi.

Sanctorum plurimi
  Qui jam dormierant,
Surgentis gloriam
  Surgendo praedicant.
In testimonium
  Surgentis Domini
Conscendunt mortui,
  Descendunt angeli.

Perenni Domino
   Perpes sit gloria,
Ex quo sunt, per quem sunt,
   In quo sunt omnia.
Ex quo sunt, Pater est;
   Per quem sunt, Filius;
In quo sunt, Patris et
   Filii Spiritus.

34.   *In Paschate Domini*

CHRISTIANI, plaudite,
   Resurrexit Dominus,
Victo mortis principe
   Christus imperat.
Victori occurrite,
   Qui nos liberat.

Superato zabulo,
   Resurrexit Dominus,
Spoliato barathro
   Suos eruit;
Stipatus angelico
   Coetu rediit.

Fraus in hamo fallitur,
   Resurrexit Dominus,
Quae dum carne vescitur
   Circumposita,
Virtute transfigitur
   Carni insitâ.

H 5

Mundanum principem
Matremque faciat
Secum participem
Patris imperii.
    Exi qui mitteris,
Haec dona dissere,
Revela veteris
Velamen litterae
Virtute nuntii.
    Accede, nuntiâ,
Dic *Ave* comminus,
Dic *Plena gratiâ,*
Dic *Tecum Dominus,*
Et dic *Ne timeas*
    Virgo suscipiens
Dei depositum,
In quo perficias
Castum propositum
Et votum teneas.
    Audit et suscipit
Puella nuntium ;
Credit et concipit
Et parit filium,
Sed admirabilem,
    Consiliarium
Humani generis,
Et Deum fortium
Et patrem posteris
In fide stabilem ;
    Cujus stabilitas
Nos reddat stabiles
Ne nos labilitas
Mundana labiles

Secum praecipitet;
   Sed dator veniae
Concessâ veniâ,
Per matrem gratiae
Obtentâ gratiâ,
In nobis habitet.
   Qui nobis tribuat
Peccati veniam,
Reatûs diluat
Et donet patriam
In arce siderum.

37.   *Sabbato ad Vesperas*

O QUANTA qualia
   Sunt illa sabbata,
Quae semper celebrat
   Superna curia!
Quae fessis requies,
   Quae merces fortibus,
Cum erit omnia
   Deus in omnibus!

Vere Jerusalem
   Est illa civitas,
Cujus pax jugis est
   Summa jucunditas;
Ubi non praevenit
   Rem desiderium
Nec desiderio
   Minus est praemium.

Nox ista flebilis
   Praesensque triduum
Quod demorabitur
   Fletûs sit vesperum ;
Donec laetitiae
   Mane gratissimum
Surgente Domino
   Sit maestis redditum.

Tu tibi compati
   Sic fac nos, Domine,
Tuae participes
   Ut simus gloriae ;
Sic praesens triduum
   In luctu ducere
Ut risum tribuas
   Paschalis gratiae.

VENERABILIS PETRI CLUNIACENSIS

39.   *Prosa in Nativitate Domini*

CAELUM, gaude, terra, plaude ;
Nemo mutus sit a laude.
Ad antiquam originem
Redit homo per virginem.
   Virgo Deum est enixa,
Unde vetus perit rixa :
Perit vetus discordia,
Succedit pax et gloria.
   Tunc de caeno surgit reus
Cum in feno jacet Deus ;

Tunc vile celat stabulum
Caelestis escae pabulum.
Nutrit virgo Creatorem
Ex se factum Redemptorem ;
Latet in pueritiâ
Divina sapientia.
Lac stillant matris ubera,
Lac fundunt Nati viscera,
Dum gratiae dulcedinem
Per assumptum dat hominem.
Ergo dulci melodiâ
Personemus, O Maria,
Religiosis vocibus
Et clamosis affectibus :
Salve, virgo benedicta,
Quae fugasti maledicta ;
Salve, mater Altissimi,
Agni sponsa mitissimi.
Tu serpentem evicisti,
Cujus caput contrivisti
Cum Deus ex te genitus
Ejus fuit interitus.
Tu caelorum imperatrix,
Tu terrarum reparatrix,
Ad quam suspirant homines,
Quam nequam tremunt daemones ;
Tu fenestra, porta, vellus,
Aula, domus, templum, tellus,
Virginitatis lilium
Et rosa per martyrium ;
Hortus clausus, fons hortorum
Sordes lavans peccatorum,
Inquinatos purificans

41. *Rhythmus II e Mariali vulgo dictus*
    Regis Casimiri hymnus

OMNI die dic Mariae,
Mea, laudes, anima ;
Ejus festa, ejus gesta
Cole splendidissima.
    Contemplare et mirare
Ejus celsitudinem ;
Dic felicem Genitricem,
Dic beatam Virginem.
    Ipsam cole ut de mole
Criminum te liberet ;
Hanc appella ne procella
Vitiorum superet.
    Haec persona nobis bona
Contulit caelestia ;
Haec regina nos divinâ
Illustravit gratiâ.
    Lingua mea, dic tropaea
Virginis puerperae,
Quae inflictum maledictum
Miro transfert genere.
    Sine fine dic reginae
Mundi laudum cantica ;
Ejus bona semper sonâ,
Semper illam praedica.
    Omnes mei sensus, ei
Personate gloriam ;
Frequentate tam beatae
Virginis memoriam.
    Nullus certe tam disertae
Extat eloquentiae

Qui condignos promat hymnos
Ejus excellentiae.
   Omnes laudent, unde gaudent,
Matrem Dei Virginem,
Nullus fingat quod attingat
Ejus celsitudinem.
   Nemo dicet quantum licet
Laudans ejus merita
Cujus cuncta sunt creata
Dicioni subdita;
   Sed necesse, quod prodesse
Constat piis mentibus,
Ut intendam et impendam
Me ipsius laudibus.
   Quamvis sciam quod Mariam
Nemo dignê praedicet,
Tamen vanus et insanus
Est qui illam reticet,
   Cujus vita erudita
Disciplinâ caelicâ
Argumenta et figmenta
Destruxit haeretica;
   Cujus mores tamquam flores
Exornant Ecclesiam,
Actiones et sermones
Miram praestant gratiam.
   Evae crimen nobis limen
Paradisi clauserat;
Haec dum credit et oboedit
Caeli claustra reserat.
   Propter Evam homo saevam
Accepit sententiam:
Per Mariam habet viam

Supra choros angelorum
   Sublimaris unice:
Felix dies hodierna
Quâ conscendis ad superna!
Pietate tu maternâ
   Nos in imo respice.

Radix sancta, radix viva,
Flos, et vitis, et oliva,
Quam nulla vis insitiva
   Juvit ut fructificet;
Lampas soli, splendor poli,
Qui splendore praees soli,
Nos assigna tuae proli,
   Ne districte judicet.

In conspectu summi Regis,
Sit pusilli memor gregis
Qui transgressor datae legis
   Praesumit de veniâ:
Judex mitis et benignus,
Judex jugi laude dignus
Reis spei dedit pignus,
   Crucis factus hostia.

Jesu, sacri ventris fructus,
Nobis inter mundi fluctûs
Sis via, dux, et conductus
   Liber ad caelestia:
Tene clavum, rege navem,
Tu procellam seda gravem,
Portum nobis da suavem
   Pro tuâ clementiâ.

43. *De Beatâ Virgine*

In tempore Nativitatis Domini

ANTE torum virginalem
Hymnum dicat spiritalem
  Per orbem Ecclesia,
    In quo jacet,
    Sicut placet,
    Verbum Patris,
    Suae matris
  Salvâ pudicitiâ.
Per hoc Verbum incarnatum,
Genus Adae reparatum
  Redit ad caelestia.

Fide duce inquiratur,
Diligenti referatur
  Studio per singula
Quid de Matre praedicetur,
Quid de Verbo recitetur
  Per vatum oracula.

Isaias loquitur :
Virga Jesse oritur ;
  Surget flos de virgulâ !
Virga notat Virginem
Et flos Deum-hominem
  Reparantem saecula.

Daniel, dic clarâ fronte :
Hic abscissus est de monte
  Lapis frangens statuam.
Mons est Virgo, lapis Verbum

Destruens regnum superbum
  Per legem perpetuam.

Manu fortis qui praedicit,
Qui Goliam fortem vicit
  In fundâ et lapide,
Fide bella superavit,
Pressit hostes, vires stravit
  David gentis perfidae.

Funda caro, Verbum lapis ;
Si quod dico nondum sapis
  Crede tamen omnia.
Jam de terrâ Veritas
Orta est, nec castitas
  Incurrit contagia.

O quam sanctus partus iste
In quo nihil fuit triste,
  Immo plenus gaudio !
Praeter morem hic est partus ;
Nullus dolor gravat artûs
  Virginis de Filio.

    Obumbravit
    Et sacravit
    Partum illum
    Tam tranquillum
  Plenitudo gratiae,
    Ut exiret
    Et prodiret
    Homo magnus,
    Verus Agnus
  Geminae substantiae.

Ad delenda mortis jura,
Carnis nostrae cum naturâ,
Intra claustra latet pura
  Genetricis Mariae.
Ortus Christi pacem donat ;
Puer jacet, et coronat
Mansuetos, ut deponat
  Filios superbiae.

Gratiâ illuminati,
Ad praesepe Regis nati,
Qui verba libri signati
  Solus potest legere,
Canticum novum cantemus,
Virginis partum laudemus,
Novum ducem adoremus
  Qui nos venit quaerere.

Ergo, nostri reformator,
Esto nostri miserator,
Christe Pater, quos salvasti,
Quorum mentes tu signasti
  Vultûs tui lumine,
Ut ad regnum perducamur,
Quod futurum praestolamur,
Et laetemur tuae pacis
Quando bonus benefacis
  De beatitudine.

44.   *De Sanctâ Agnete*

ANIMEMUR ad agonem,
Recolentes passionem

Virginalem gloriam;
Nos ab Agno salutari
Non permitte separari,
Cui te totam consecrasti,
Cujus ope tu curasti
Nobilem Constantiam.

Vas electum, vas honoris,
Incorrupti flos odoris,
Angelorum grata choris,
Honestatis et pudoris
Formam praebes saeculo.
Palmâ fruens triumphali,
Flore vernans virginali,
Nos indignos speciali
Fac sanctorum generali
Vel subscribi titulo.

45.   *In Nativitate Domini*

IN natale Salvatoris
Angelorum nostra choris
Succinat conditio:
Harmonia diversorum
Sed in unum redactorum
Dulcis est connexio.

Felix dies hodiernus,
In quo Patri coaeternus
Nascitur ex Virgine!
Felix dies et jucundus!
Illustrari gaudet mundus
Veri solis lumine.

Ne periret homo reus,
Redemptorem misit Deus,
    Pater unigenitum ;
Visitavit quos amavit
Nosque vitae revocavit
    Gratia, non meritum.

Infinitus et immensus
Quem non capit ullus sensus
    Nec locorum spatia,
Ex aeterno temporalis,
Ex immenso fit localis,
    Ut restauret omnia !

Non peccatum, sed peccati
Formam sumens, vetustati
    Nostrae se contemperat :
Immortalis se mortali,
Spiritalis corporali,
    Ut natura conferat.

Sic concurrunt in personae
Singularis unione
    Verbum, caro, spiritus,
Ut natura non mutetur,
Nec persona geminetur,
    Sed sit una penitus.

Tantae rei sacramentum
Latet hostem fraudulentum ;
    Fallitur malitia.
Caecus hostis non praesagit
Quod sub nube carnis agit
    Dei sapientia.

71

In Paulum convertitur
Saulus praedo nostri gregis;
Paulus praeco nostrae legis
Sic in Paulum vertitur.

Ergo, Paule, doctor gentis,
Vas electum, nostrae mentis
Tenebras illumina,
Et per tuam nobis precem
Praesta vitam, atque necem
Aeternam elimina.

47.   *In Inventione Sanctae Crucis*

LAUDES Crucis attollamus
Nos qui Crucis exultamus
Speciali gloriâ:
Nam in Cruce triumphamus,
Hostem ferum superamus
Vitali victoriâ.

Dulce melos
Tangat caelos!
Dulce lignum
Dulci dignum
Credimus melodiâ:
Voci vita non discordet;
Cum vox vitam non remordet,
Dulcis est symphonia.

Servi Crucis Crucem laudent,
Per quam Crucem sibi gaudent

Vitae dari munera.
Dicant omnes et dicant singuli:
Ave salus totius saeculi,
     Arbor salutifera!

O quam felix, quam praeclara
Fuit haec salutis ara,
     Rubens Agni sanguine,
Agni sine maculâ,
Qui mundavit saecula
     Ab antiquo crimine!

Haec est scala peccatorum,
Per quam Christus, rex caelorum,
     Ad se traxit omnia;
Forma cujus hoc ostendit
Quae terrarum comprehendit
     Quattuor confinia.

Non sunt nova sacramenta,
Non recenter est inventa
     Crucis haec religio:
Ista dulces aquas fecit;
Per hanc silex aquas jecit
     Moÿsis officio.

Nulla salus est in domo,
Nisi cruce munit homo
     Superliminaria:
Neque sensit gladium,
Nec amisit filium,
     Quisquis egit talia.

75

Ligna legens in Sareptâ
Spem salutis est adepta
  Pauper muliercula:
Sine lignis fidei
Nec lecythus olei
  Valet, nec farinula.

    In Scripturis
    Sub figuris
    Ista latent,
    Sed jam patent
Crucis beneficia;
    Reges credunt,
    Hostes cedunt;
    Solâ cruce,
    Christo duce,
Unus fugat milia.

Roma naves universas
In profundum vidit mersas
  Unâ cum Maxentio:
Fusi Thraces, caesi Persae,
Sed et partis dux adversae
  Victus ab Heraclio.

Ista suos fortiores
Semper facit et victores;
Morbos sanat et languores,
  Reprimit daemonia;
Dat captivis libertatem,
Vitae confert novitatem,
Ad antiquam dignitatem
  Crux reduxit omnia.

O Crux, lignum triumphale,
Vera mundi salus, vale!
Inter ligna nullum tale
    Fronde, flore, germine;
Medicina Christiana,
Salva sanos, aegros sana:
Quod non valet vis humana
    Fit in tuo nomine.

Assistentes Crucis laudi,
Consecrator Crucis, audi,
Atque servos tuae Crucis,
Post hanc vitam, verae lucis
    Transfer ad palatia;
Quos tormento vis servire,
Fac tormenta non sentire;
Sed cum dies erit irae,
Confer nobis et largire
    Sempiterna gaudia.

48.   *In Festo S. Michaelis et Omnium*
            Angelorum

LAUS erumpat ex affectu!
Psallat chorus in conspectu
    Supernorum civium!
Laus jucunda, laus decora,
Quando laudi concanora
    Puritas est cordium.

Michaelem cuncti laudent
Nec ab hujus se defraudent

77

> Diei laetitiâ.
> Felix dies qua sanctorum
> Recensetur angelorum
>   Solemnis victoria !

> Draco vetus exturbatur
> Et draconis effugatur
>   Inimica legio ;
> Exturbatus est turbator
> Et projectus accusator
>   A caeli fastigio.

> Sub tutelâ Michaelis
> Pax in terrâ, pax in caelis,
>   Laus et jubilatio ;
> Cum fit potens hic virtute,
> Pro communi stans salute,
>   Triumphat in proelio.

>   Suggestor sceleris,
>   Pulsus a superis,
>   Per hujus aëris
>   Oberrat spatia ;
>   Dolis invigilat,
>   Virus insibilat,
>   Sed hunc adnihilat
>   Praesens custodia.

> Tres distinctae hierarchiae
> Jugi vacant theoriae
>   Jugique psalterio,
> Nec obsistit theoria
> Sive jugis harmonia
>   Jugi ministerio.

O quam mirae caritatis
Est supernae civitatis
  Ter terna distinctio,
Quae nos amat et tuetur,
Ut ex nobis restauretur
  Ejus diminutio!

  Sicut sunt hominum
    Diversae gratiae,
  Sic erunt ordinum
    Distinctae gloriae
      Justis in praemio;
  Solis est alia
    Quam lunae dignitas,
  Stellarum varia
    Relucet claritas:
      Sic resurrectio.

Vetus homo novitati,
Se terrestris puritati
  Conformet caelestium;
Coaequalis his futurus,
Licet nondum plene purus,
  Spe praesumat praemium.

Ut ab ipsis adjuvemur,
Hos devote veneremur
    Instantes obsequio;
  Deo nos conciliat
  Angelisque sociat
    Sincera devotio.

De secretis reticentes
  Interim caelestibus,

Ter negato quem dilexit,
Flevit, eum ut respexit
   Salus paenitentium:
Est baptismus animarum
Dulcis rivus lacrimarum
   Piumque suspirium.

Quid est, homo, quod superbis?
Stare putas in acerbis
   Hujus vitae casibus?
Ne praesumas, Petrus ruit ;
Ne diffidas, Petrus luit
   Noxam cum singultibus.

Cum consorte maesti tori
Justâ morte meret mori
   Ananias mentiens ;
Verbo vitae datâ vitâ,
Surgit lecto mox Tabitha
   Petri manum sentiens.

Carcer claudit datum poenis ;
Membra rigent in catenis,
   Herodis imperio ;
Ferri rigor emollescit,
Claustra patent, custos nescit,
   Misso caeli nuntio.

Mundi caput, fontem mali,
Peste plenam criminali,
Romam intrat spiritali
   Petrus cinctus gladio.
Triumphando mortis ducem,

Reddit caecis vitae lucem,
Et Neronis diram crucem
    Paulo spernit socio.

Simon magus debacchatur,
Alta petit, praeceps datur;
Paulus ense trucidatur,
    Petrus ligno figitur;
Sic auditor praeceptorem,
Sic dilectus dilectorem,
Sic redemptus redemptorem
    Poenâ crucis sequitur.

Nos electos de sagenâ,
Petre, trahe ad amoena
Celsa Syon, ubi cena
    Veri Agni visitur,
Ubi salus, ubi quies,
Expers noctis ubi dies;
Ubi deus, homo, fies,
    Ubi semper vivitur!

50.   *In Nativitate Domini*

NATO nobis Salvatore
Celebremus cum honore
    Diem natalicium,
Nobis natus, nobis datur,
Et nobiscum conversatur
    Lux et salus gentium.

Eva prius interemit,
Sed Salvator nos redemit

O Maria,
Mater pia,
Stella maris
Appellaris
Operum per merita;
Matri Christi
Coaequata,
Dum fuisti
Sic vocata,
Sed honore subdita.

Illa enim fuit porta,
Per quam mundo lux est orta;
Haec resurgentis nuntia
Mundum replet laetitiâ.

Illa mundi imperatrix,
Ista beata peccatrix,
Laetitiae primordia
Fuderunt in Ecclesiâ.

O Maria Magdalena,
Audi vota laude plena,
Apud Christum
Chorum istum
Clementer conciliâ,
Ut fons summae pietatis,
Qui te lavit a peccatis,
Servos suos
Atque tuos
Mundet, datâ veniâ.
Hoc det ejus gratia.

52. *Hymnus Paschalis in Dominicâ Resurrectionis*

MUNDI renovatio
  Nova parit gaudia ;
Resurgenti Domino
  Conresurgunt omnia.
Elementa serviunt,
Et auctoris sentiunt
  Quanta sit potentia.

Ignis volat mobilis,
Et aer volubilis,
Fluit aqua labilis,
Terra manet stabilis :
  Alta petunt levia,
Centrum tenent gravia,
  Renovantur omnia.

Caelum fit serenius,
Et mare tranquillius ;
Spirat aura mitius,
  Vallis nostra floruit.
Revirescunt arida,
Recalescunt frigida,
  Postquam ver intepuit.

Gelu mortis solvitur,
Princeps mundi fallitur,
Et ejus destruitur
  In nobis imperium ;
Dum tenere voluit
In quo nihil habuit,
  Jus amisit proprium.

Pater, Fili, Consolator,
Unus Deus, unus dator
    Septiformis gratiae,
Solo nutu pietatis,
Fac nos simplae Trinitatis
    Post spem frui specie!

54. *In Annuntiatione Beatae Mariae*
    Virginis

PARANYMPHUS * salutat virginem,
Novi partûs * assignans ordinem:

> *En*, inquit, *concipies*
>   *Parvulumque paries,*
>   *Nec pudoris senties*
>   *Laesionem.*
>   Jam praeventa gratiâ,
>   Sed de modo dubia,
>   Quaerit rei nescia
>   Rationem.

O Maria, ne formides;
Praebe fidem, quia fides
    Potens in hoc opere.
O Maria, sis secura,
Nutu Dei paritura
    Sine viri foedere.

> Verbum carni jungitur
>   Virginis in utero,
>   Nec natura tollitur
>   Unius ab altero.

O felix novitas!
O mira dignatio!
   Contracta Deitas
Jacet in praesepio.

O Puer sapiens!
O Verbum vagiens!
   O majestas humilis!
Nos juva, nos rege,
Nos Verbo protége,
   Nobis carne similis!

O Maria, mater Dei,
Spe respirant in te rei,
Tu post Deum nostrae spei
   Salus et fiducia.
Jesu pie, Jesu fortis,
Jesu nostrae dux cohortis,
Fac nos esse tuae sortis
   In gloriâ,
Tuae matris gratiâ.

55.   *In Nativitate Domini*

POTESTATE, non naturâ,
Fit Creator creatura,
Reportetur ut factura
   Factoris in gloriâ.
Praedicatus per prophetas,
Quem non capit locus, aetas,
Nostrae sortis intrat metas,
   Non relinquens propria.

Compar et consimilis,
Cuncta regles, cuncta foves,
Astra regís, caelum moves,
Permanens immobilis.

Lumen carum,
Lumen clarum,
Internarum
Tenebrarum
Effugas caliginem;
Per te mundi sunt mundati;
Tu peccatum, tu peccati
Destruis rubiginem.

Veritatem notam facis
Et ostendis viam pacis
Et iter justitiae.
Perversorum
Corda vitas,
Et bonorum
Corda ditas
Munere scientiae.

Te docente
Nil obscurum,
Te praesente
Nil impurum;
Sub tuâ praesentiâ
Gloriatur mens jucunda;
Per te laeta, per te munda
Gaudet conscientia.

Tu commutas elementa;
Per te suam sacramenta

Habent efficaciam :
Tu nocivam vim repellis,
Tu confutas et refellis
Hostium nequitiam.

Quando venis,
Corda lenis ;
Quando subis,
Atrae nubis
Effugit obscuritas ;
Sacer ignis,
Pectus ignis ;
Non comburis,
Sed a curis
Purgas, quando visitas.

Mentes prius imperitas
Et sopitas
Et oblitas
Erudis et excitas.
Foves linguas, formas sonum ;
Cor ad bonum
Facit pronum
A te data caritas.

O juvamen
Oppressorum,
O solamen
Miserorum,
Pauperum refugium,
Da contemptum terrenorum ;
Ad amorem supernorum
Trahe desiderium !

Dignitatis * primae conditio
Reformatur * nobis in Filio
Cujus nova * nos resurrectio
   Consolatur.

Resurrexit * liber ab inferis
Restaurator * humani generis,
Ovem suam * reportans humeris
   Ad superna.
Angelorum * pax sit et hominum;
Plenitudo * succrescit ordinum:
Triumphantem * laus decet Dominum,
   Laus aeterna!

Harmoniae * caelestis patriae
Vox concordet * matris Ecclesiae;
Alleluia * frequentet hodie
   Plebs fidelis.
Triumphato * mortis imperio,
Triumphali * fruamur gaudio:
In terrâ pax * et jubilatio
   Sit in caelis!

58.   *In Festo S. Stephani*

ROSA novum dans odorem
Ad ornatum ampliorem
   Regiae caelestis
Ab Aegypto revocatur;
Illum sequi gratulatur
   Cujus erat testis.

ADAE DE S. VICTORE MONACHI

Genus nequam et infaustum
Qui se fecit holocaustum
   Afficit indigne,
Eo quod in Christum credit,
A quo tamen non recedit
   Passionis igne.

Gaudet carne purpuratâ,
Flexo genu, voce gratâ,
   Pro Judaeis orans,
Ut non illis imputetur
Quia gratis pateretur,
   Facinus ignorans.

Constitutum in spe certâ
Certiorat res aperta,
   Quando Jesum vidit
Stantem Patris in virtute;
Tunc ad petram pugnans tute
   Parvulos allidit.

Uva data torculari
Vult pressuris inculcari
   Ne sit infecunda;
Martyr optat petrâ teri,
Sciens munus adaugeri
   Sanguinis in undâ.

Nos qui mundi per desertum
Agitamur in incertum,
   Stephanum sequamur,
Ut securi tanto duce
Trinitatis verâ luce
   Jugiter fruamur.

Salve, Mater pietatis,
Et totius Trinitatis
　　Nobile triclinium.
Verbi tamen incarnati
Speciale majestati
　　Praeparans hospitium !

O Maria, stella maris,
Dignitate singularis,
Super omnes ordinaris
　　Ordines caelestium :
In supremo sita poli,
Nos commenda tuae proli,
Ne terrores sive doli
　　Nos supplantent hostium.

In procinctu constituti,
Te tuente simus tuti,
Pervicacis et versuti
Tuae cedat vis virtuti,
　　Dolus providentiae.
Jesu, Verbum summi Patris,
Serva servos Tuae matris,
Solve reos, salva gratis,
Et nos Tuae claritatis
　　Configura gloriae.

ANONYMI ANGLI (Saec. XII)

60. *In Assumptione Beatae Mariae*
Virginis

FLOS excellens, flos beatus
Mundi pratis est sublatus,

ANONYMI ANGLI

Hac in die stat plantatus
   Summo caeli solio.
Luce floret hodiernâ
Flore jugi ad superna
Flos devectus et materna
   Jura dat in Filio.

Rubum ignis lator legis,
Virgam Aaron, sceptrum regis
   David tenet hodie;
Vellus olim fusum rore
Rorem sentit novo more
   Gedeonis acie.

Felix spina,
   Felix rosa,
      Hujus spinae filia,
Quae divina
   Gloriosa
      Scandit domicilia!

Haec peccati caret spinâ;
Spinam mundat virtus trina,
   Dans **ex** spinis lilia.
Sine spinâ stat spinetum
Fronde, flore, fructu laetum
   Ex hac ejus filiâ.

Arca virgam
   Juxta manna clausam servat,
Quo mors vitam,
   Robur aetas non enervat.

Dei Sponsa, caeli stella,
Virgo mater et puella,
Nos in nobis sic debella
Ne nos turbet mortis cella.

ANONYMI MARTIALENSIS (Saec. XII)

61. *Hymnus de Nativitate Domini*

LILIUM floruit
  Arvis vernantibus
Quae fons de Libano
  Lymphis rigantibus
Fovet et relevat
  Zephyris flantibus.

  Eja, eja, eja !
  Grex in pascuis
  Alludat uberrimis,
  Et sequantur agmina
  Agnum inter lilia :
  Qui factus est opilio,
  Assumpto carnis pallio,
  Et per crucis mysterium
  Elisit fauces daemonum,
  Elisit fauces daemonum
  Ferens reis remedium.

Revisit thalamum
  Sponsi praesentia,
Qui super cherubim
  Mirâ potentiâ

Volavit praevidens
  Cuncta latentia.

Eja, eja, eja ! etc.

Electri species
  Tandem emicuit
Et mare vitreum
  De Sion exiit,
Anguis taeterrimus
  Nunc jam interiit.

Eja, eja, eja ! etc.

GUIDONIS DE BAZOCHIIS

62. *Ad Beatam Mariam Virginem*

DEI Matris cantibus
  Sollemnia
Recolat sollemnibus
  Ecclesia.
Vota tuis auribus
  Conciliâ
Te devotis vocibus
  Laudantia,
Digna dignis laudibus.
  O gloriosa Domina,
  Quorum te laudant carmina,
  Precamur, dele crimina.

63. *De Natali S. Johannis Baptistae*

O PRAECURSOR, ortu cujus
Gloriosa fulget hujus
    Diei sollemnitas,
Donâ nobis, te rogamus,
Ut devotê persolvamus
    Laudes tibi debitas.

Dies enim haec insignis,
Dies est haec digna dignis
    Laudibus Ecclesiae ;
Qua lux solem praecessisti,
Odor florem praevenisti,
    Miles Regem Gloriae.

Vox clamantis in deserto,
Gabrielis non incerto
    Conceptus oraculo,
Reserasti mox genitus
Vocem patri divinitus
    Negatam incredulo.

Ventris adhuc in abdito
Materni clausus, posito
    Virginis in regiâ,
Tuae Regi Justitiae
Dedicasti laetitiae
    Beata primordia.

Citra virum, supra vires
Soli subis ut servires
    Deo solitudinem ;

Fugis turbas, fugis urbes
Nequâ levitate turbes
   Sanctitatis ordinem.

Victus ibi tibi vilis,
Tibi vestis hirta pilis
   Sacros artûs induit,
Tantae tamen dignitatis
Quod et Verbo Veritatis
   Approbari meruit.

Verê major muliérum
Inter natos, Deum verum
   Baptizas in homine,
Lavans eum qui nos lavit
A peccatis et mundavit
   Mundum suo sanguine.

Divinâ voce merito
   Plusquam propheta diceris,
Qui Salvatorem populo
Deum demonstras digito,
   Longe visum a ceteris
Et veluti sub speculo.

O quam felix eremita!
   Quantae vir abstinentiae!
      Quam sacris pollens dotibus!
Cujus illustratur vita
   Tot septiformis gratiae,
      Tot virtutum insignibus!

In quo labes vitiorum
   Nulla prorsus laboravit,

Incepit esse temporis.
Nostris, Regina, etc.

In quâ propitiatio
    Veritati fit obvia,
    Per quam pax et justitia
Convenerunt in basio,
Justorum in concilio,
    Dei mater et filia,
    Tuo nos reconciliâ
Patri simul et Filio.
        Nostris, Regina, etc.

65. *De Nativitate Domini*

QUI cuncta condidit
    In sapientiâ
Per ejus reddidit
    Nobis auxilia
Quae prima perdidit
    Insipientia,
        Per illam reparans
Quos Serpens prodidit
        A Deo separans.

Haec domum similis
    Scrutanti feminae
Quae testae fragilis
    Accenso lumine
Apparens humilis
    Drachmam in homine
        Repperit decimam,

Regis imagine
Fulgentem animam.

Sol veri luminis,
Quem Virgo concipit,
De carne Virginis
Dum carnem accipit,
Naturam hominis
Non culpam suscipit,
Et necessariam
Poenam non recipit
Sed voluntariam.

Merito numinis
Fit homo socius
Per ipsum luminis
Lumen, ut alius
Non esset Hominis
Quam Dei Filius
Et idem hominum
Mediator pius
Esset ad Dominum.

Carnem ingenitus
Sumere potuit
Ut Unigenitus,
Sed non oportuit:
Quia qui genitus
Et non qui genuit
Humano generi
Et mitti debuit
Et homo fieri.

Cur datum Filio
Carnem ut sumeret,

Si tu es Dei Filius,
Salva temetipsum et nos :
Esto tibi propitius
Tu qui salvasti alios ;

Dum alter hunc corriperet
Et hunc stultum ostenderet,
Dum se malum concederet,
Et te justum assereret,
Dum ad te se converteret
Et supplex tibi diceret,

Memento mei, Domine,
Dum ad tuum perveneris
Regnum plenum dulcedine,
Dum te regem ostenderis ;

Tu amans paenitentiam,
Corda trahens per gratiam,
Non solum huic memoriam
Concessisti sed gloriam.

O prompta Dei caritas,
  Prompta misericordia !
O prompta liberalitas,
  Prompta munificentia !

Ad te currit devotio,
  Ad te redit memoria,
Ad te languet affectio
  Et ad te paenitentia ;
Coram te fit confessio,
  Tibi patent praecordia.

Ideo cum fiduciâ
  Tibi precamur, Domine,
Qui es sine malitiâ
  Solus et sine crimine,
In tuâ patientiâ
  Memento nostri, Domine!

68.   *In quintum verbum Domini Nostri
Jesu Christi*

JESU, dulcis memoria,
  Sitibunda dilectio,
Jesu, dulcis fiducia,
  Laetabunda refectio,

Dum extensus existeres
  Super oram patibuli,
Dum immolatus ageres
  Redemptionem populi,

Dum lamentum ostenderet
  Super te vultus saeculi,
Dum te nudum aspiceret
  Mundus instar spectaculi,

Dum hostes te deluderent
  Et noti tui fugerent,
Dum clavi membra tenderent
  Et nervi se contraherent,
Dum vulnera tumescerent
  Et humores defluerent,
Dum carnes contremiscerent
  Et virtutes arescerent,

Quia major omni laude,
　Nec laudare sufficis.

Laudis thema specialis,
Panis vivus et vitalis
　Hodie proponitur:
Quem in sacrae mensâ cenae
Turbae fratrum duodenae
　Datum non ambigitur.

Sit laus plena, sit sonora,
Sit jucunda, sit decora
　Mentis jubilatio:
Dies enim solemnis agitur
In quâ mensae prima recolitur
　Hujus institutio.

In hac mensâ novi Regis
Novum Pascha novae Legis
　Phase vetus terminat.
Vetustatem novitas,
Umbram fugat veritas,
　Noctem lux eliminat.

Quod in cenâ Christus gessit
Faciendum hoc expressit
　In sui memoriam.
Docti sacris institutis
Panem vinum in salutis
　Consecramus hostiam.

Dogma datur Christianis
Quod in carnem transit panis
　Et vinum in sanguinem.

Quod non capis, quod non vides,
Animosa firmat fides
    Praeter rerum ordinem.

Sub diversis speciebus,
Signis tantum et non rebus,
    Latent res eximiae.
Caro cibus, sanguis potus:
Manet tamen Christus totus
    Sub utrâque specie.

A sumente non concisus,
Non confractus, non divisus,
    Integer accipitur.
Sumit unus, sumunt mille,
Quantum isti, tantum ille:
    Nec sumptus consumitur.

Sumunt boni, sumunt mali,
Sorte tamen inaequali
    Vitae vel interitûs.
Mors est malis, vita bonis:
Vide paris sumptionis
    Quam sit dispar exitus.

Fracto demum sacramento
Ne vacilles sed memento
Tantum esse sub fragmento
    Quantum toto tegitur.
Nulla rei fit scissura:
Signi tantum fit fractura,
Quâ nec status nec statura
    Signati minuitur.

72.   *In Festo Corporis Christi ad*
matutinum

SACRIS sollemniis juncta sint gaudia
Et ex praecordiis sonent praeconia :
Recedant vetera, nova sint omnia,
    Corda, voces et opera.

Noctis recolitur cena novissima
Quâ Christus creditur agnum et azyma
Dedisse fratribus juxta legitima
    Priscis indulta patribus.

Post agnum typicum expletis epulis
Corpus Dominicum datum discipulis,
Sic totum omnibus quod totum singulis,
    Ejus fatemur manibus.

Dedit fragilibus corporis ferculum,
Dedit et tristibus sanguinis poculum,
Dicens, *Accipite quod trado vasculum ;*
    Omnes ex eo bibite.

Sic sacrificium illud instituit,
Cujus officium committi voluit
Solis presbyteris, quibus sic congruit
    Ut sumant et dent ceteris.

Panis angelicus fit panis hominum :
Dat panis caelicus figuris terminum.
O res mirabilis ! Manducat Dominum
    Servus pauper et humilis.

Te, trina Deitas unaque, poscimus
Sic tu nos visita sicut te colimus,
Per tuas semitas duc nos quo tendimus,
    Ad lucem quam inhabitas.

73. *In Festo Corporis Christi ad Laudes*

VERBUM supernum prodiens
Nec Patris linquens dexteram,
Ad opus suum exiens
Venit ad vitae vesperam.
    In mortem a discipulo
Suis tradendus aemulis,
Prius in vitae ferculo
Se tradidit discipulis :
    Quibus sub binâ specie
Carnem dedit et sanguinem,
Ut duplicis substantiae
Totum cibaret hominem.
    Se nascens dedit socium,
Convescens in edulium,
Se moriens in pretium,
Se regnans dat in praemium.
    O salutaris hostia,
Quae caeli pandis ostium,
Bella premunt hostilia :
Da robur, fer auxilium.
    Uni trinoque Domino
Sit sempiterna gloria,
Qui vitam sine termino
Nobis donet in patriâ.

74. *Meditatio in Festo Corporis Christi*

AVE, vivens hostia,
  Veritas et vita !
In quâ sacrificia
  Cuncta sunt finita ;
Per te Patri gloria
  Datur infinita,
Per te stat Ecclesia
  Jugiter munita.

Ave, vas clementiae,
  Scrinium dulcoris,
In quo sunt deliciae
  Caelici saporis,
Veritas substantiae
  Tota Salvatoris,
Sacramentum gratiae,
  Pabulum amoris.

Ave, manna caelicum
  Verius legali,
Datum in viaticum
  Misero mortali,
Medicamen mysticum
  Morbo spiritali,
Morte dans Catholicum
  Vitae immortali.

Ave, Corpus Domini
  Et munus finale,
Corpus junctum numini ;
  Nobile jocale,

Quod reliquit homini
    In memoriale
Cum signale termini
    Mundo dixit *Vale*.

Ave, plenum gaudium,
    Vita beatorum,
Pauperum solatium,
    Salus miserorum,
Grande privilegium
    Est hoc viatorum,
Quorum sacrificium
    Merces est caelorum.

Ave, virtus fortium,
    Obvians ruinae,
Turris et praesidium
    Plebis peregrinae :
Quam insultûs hostium
    Frangere ne sine,
Ne vi malignantium
    Pereat in fine.

Hic Jesus veraciter
    Duplex est naturâ ;
Non est partialiter,
    Nec solum figurâ,
Sed essentialiter
    Caro Christi pura
Latet integraliter
    Brevi sub clausurâ.

Caelo visibiliter
    Caro Christi sita

H 9

Per te tandem cernere
Da remunerator.

PHILIPPI DE GREVIA

75.   *De miseriâ hominis*

HOMO, considera
Qualis, quam misera
   Sit vitae sors mortalis,
Vita mortifera,
Poenae puerpera,
   Mors vera, mors vitalis.
Fomentum est doloris,
Stadium vitae laboris,
   Premit per onera,
   Sordet per scelera
Squaloris et fetoris ;
Fermentum est dulcoris,
Somnium, umbra vaporis ;
   Fallit per prospera,
   Trahit ad aspera
Maeroris et stridoris :
Figmentum est erroris,
Gaudium brevis honoris ;
   Mordet ut vipera,
   Flebilis vespera
Algoris et ardoris.

Culpâ conciperis,
Gemitu nasceris,
   Victurus in sudore ;

Mori compelleris;
Certo quod moreris,
    Incertae mors est horae.
Momentum est staterae
Diebus quantum manere
        Potes in prosperis
        Qui cito praeteris,
    Qui faenum es in flore.
Lamentum est ridere,
Gaudio fletum augere.
        Nudus ingrederis,
        Nudus egrederis:
    Egressus cum pavore.
Portentum hic gaudere,
Gaudio caeli carere:
        Cur non corrigeris,
        Immemor carceris,
    Plectendus a tortore?

Vide ne differas,
Vide ne deseras
    Oblitus Creatorem.
Culpam dum iteras
Tuum exasperas
    Ingratus Redemptorem.
Cur offendis Datorem?
Reprimas pravum pudorem;
    Turpia corrigas,
    Oculos erigas
Ad pium Indultorem.
Cur defendis errorem?
Deprimas mentis tumorem.
    Humilem eligas

77.   *Hymnus Paschalis*

VINEAM meam plantavi
(*Torcular solus calcavi*):
    Vinea non reddidit
Fructum quem speravi.
    Indumentum sanguine
    Meum inquinavi.

Facturam meam amavi
(*Torcular solus calcavi*):
    Quem ego creaveram
Ego recreavi.
    Indumentum sanguine
    Meum inquinavi.

Qui mundi mala portavi
(*Torcular solus calcavi*),
    Undâ mei sanguinis
Mundi culpas lavi.
    Indumentum sanguine
    Meum inquinavi.

Acetum ego potavi
(*Torcular solus calcavi*):
    Ego vitae poculum
Mundo praeparavi.
    Indumentum sanguine
    Meum inquinavi.

Flagella non recusavi
(*Torcular solus calcavi*):
    Ego sponte subii

Crucem quam expavi.
Indumentum sanguine
Meum inquinavi.

Infernum exspoliavi
(*Torcular solus calcavi*):
   Qui ligabat hominem
Ego religavi.
   Indumentum sanguine
   Meum inquinavi.

78.   *Planctus Christi morientis*

HOMO, vide * quae pro te patior,
Si est dolor * sicut quo crucior.
Ad te clamo * qui pro te morior.
Vide poenas * quibus afficior,
Vide clavos * quibus confodior ;
Cum sit tantus * dolor exterior,
Interior * planctus est gravior,
Tam ingratum * dum te experior.

Eja, Homo, quare * te ipsum negligis ?
Vultûs aspectum * quare non corrigis ?
Et cur affectum * ad me non dirigis ?
Erras dum quempiam * plus quam me diligis.
Nam creaturam * te feci nobilem,
Aspectu pulchrum * rationabilem,
Naturâ mitem * et amicabilem,
Summique boni * communicabilem.

Et tu Serpentis * seductus flatibus
Illaqueasti * te mortis nexibus.

PHILIPPI DE GREVIA

Castitas non laeditur.
  Nova res: puella
Parit, et complectitur
  Firmamentum stella.

Festa dies agitur
  (*Mundo salus redditur*)
In quâ sol exoritur,
  Qui mundum replet lumine.
  Mundo salus redditur
  Christo nato de Virgine.

Gaudeamus igitur
  (*Mundo salus redditur*)
In Sole qui dicitur
  Verus Deus in homine.
  Mundo salus redditur
  Christo nato de Virgine.

O quam felix creditur
  (*Mundo salus redditur*)
Mater ad quam mittitur
  Vox de caelorum culmine!
  Mundo salus redditur
  Christo nato de Virgine.

81. *Hymnus de Incarnatione Domini*

PROCEDENTI Puero
  (*Eja novus annus est*)
Virginis ex utero,
  Gloria laudis!

Deus homo factus est
Et immortalis.

In valle miseriae
(*Eja novus annus est*)
Venit nos redimere;
Gloria laudis!
Deus homo factus est
Et immortalis.

Christus mihi natus est
(*Eja novus annus est*),
Crucifigi passus est;
Gloria laudis!
Deus homo factus est
Et immortalis.

Cujus crucifixio
(*Eja novus annus est*)
Nostra sit salvatio;
Gloria laudis!
Deus homo factus est
Et immortalis.

Redemptionem saeculi
(*Eja novus annus est*)
Laudent omnes populi;
Gloria laudis!
Deus homo factus est
Et immortalis.

Collaudemus Dominum
(*Eja novus annus est*)

PHILIPPI DE GREVIA

Ulmus uvam non peperit :
Quid tamen viti deperit
    Quod ulmus uvam sustinet ?
Fructum tuum non genui
Sed oblatum non respui
    Ne poena culpam terminet.
A te mortalem habui,
Immortalem restitui,
    Ut mors in vitam germinet.

Tu vitis, uva Filius :
Quid uvae competentius
    Quam torcular quo premitur ?
Cur pressura fit durius
Nisi quia jucundius
    Vinum sincerum bibitur ?
Quid uvâ passâ dulcius ?
Quid Christo passo gratius,
    In cujus morte vivitur ?

Multi se justos reputant,
Filium a te postulant
    Et ad me non respiciunt.
Sed postquam tibi creditus
Est apud me depositus ;
    Extra me non inveniunt.
Quaerant in meo stipite,
Sugant de meo palmite
    Fructum tuum quem sitiunt.

Respondeas hypocritis :
Filium meum quaeritis
    Quem Cruci dudum tradidi?

PHILIPPI DE GREVIA

Jam non pendet ad ubera ;
Pendet in Cruce, verbera
 Corporis monstrans lividi.
Eum in Cruce quaerite,
Guttas cruentas bibite,
 Aemulatores perfidi.

JOHANNIS DE MESSINA

83. *De Beatâ Mariâ Virgine*

POLUM spargit jam aurora
Et diei venit hora
 Noctis per vestigia :
Sidus affert jam diurnum,
Agmen fugat et nocturnum
 Lux caelestis praevia.
Surge, surge, gaudens chorus,
Plaude, psalle nunc sonorus,
 Nova pange gaudia !
Nova vita vitae porta,
Novae lucis lux est orta,
 Renovantur omnia.

Vespere praemittitur,
Thalamus erigitur
 Solis et paratur ;
Vivum templum struitur,
Arca jam compingitur,
 Intus deauratur,
Ubi virga gloriae,
Tabula justitiae,

H 10

Post amara pocula,
Inimici vincula,
Per crucis patibula,
    Nos redemit sanguine.
    Inimici vincula
        Dirupisti, Domine.

85.   *In Assumptione Beatae Mariae*
                Virginis

CANTET omnis creatura!
Sua refert nobis jura.
Sua refert nobis jura
    Virginis assumptio.
    O, O
        Domino
    Concinat haec contio!

Cantet omnis creatura!
Sua refert nobis jura.
Cibi potûsque mensura
    Sit in hoc sollemnio.
    O, O
        Domino
    Concinat haec contio!

Christo Regi demus tura,
Sua refert nobis jura.
Pio corde, mente purâ,
    Puro desiderio.
    O, O
        Domino
    Concinat haec contio!

Dedit suum jus Natura:
Sua refert nobis jura.
Rerum factor fit factura
    Virginis in gremio.
      O, O
      Domino
    Concinat haec contio!

86.   *In Nativitate Domini*

DEUS Pater Filium,
   O natale gaudium!
Deus Pater Filium
    Proprium donavit.
   O natale gaudium!
    Dominus regnavit.

Habet vaticinium,
   O natale gaudium!
Habet vaticinium
    Suum psalmus David.
   O natale gaudium!
    Dominus regnavit.

Abraham fidelium,
   O natale gaudium!
Abraham fidelium
    Pater exultavit.
   O natale gaudium!
    Dominus regnavit.

Ecce sicut lilium,
   O natale gaudium!

Nova nôvi
  Gaudia.

Nostra nobis redditur
    Patria,
In quâ bene vivitur.
    Eja, eja,
    Anni novi
    Nova nôvi
      Gaudia.

Devitemus igitur
    Vitia
Per quae virtus moritur.
    Eja, eja,
    Anni novi
    Nova nôvi
      Gaudia.

Sua spargat castitas
    Lilia :
Peperit virginitas.
    Eja, eja,
    Anni novi
    Nova nôvi
      Gaudia.

ANONYMI GALLI

89.   *De Partu Virginis*

MIRA Dei caritas,
    Deus incarnatur !

ANONYMI GALLI

Mira rei novitas,
  Virgo impregnatur!

O novum conubium,
  Soli nubit stella!
Novum puerperium
  Protulit puella!

Moÿses quâ jacuit
  Scirpea fiscella,
In quâ Deus latuit
  Virgo, res novella!

Auris et mens pervia
  Deo sunt ingressus;
Non patent vestigia
  Quibus est egressus.

Sicut vitrum radio
  Solis penetratur,
Inde tamen laesio
  Vitro nulla datur:

Sic, immo subtilius,
  Matre non corruptâ
Deus Dei Filius
  Suâ prodit nuptâ.

Prodit cogitatio
  Clausâ cordis venâ:
Praegnans absque vitio
  Parit sine poenâ.

153

Ecce mira virtus Dei,
Ecce patens ordo rei
   Velatae mysterio.
Caro vestit Deitatem,
Unde trahit puritatem
   Dignam tanto parvulo.

Casta castê castum paris,
Cujus morte liberaris
   Et omnis condicio.
Mortem morte Natus stravit
Et nos vitae reparavit
   Felici commercio.

Illum parit ista mater
Quem et Deum Deus pater
   In se Deo genuit.
Ipse factus est infectus,
Nam, ut panno, carne tectus,
   Deum non deseruit.

Geminatâ jam naturâ
Est et factor et factura
   Idem Dei Filius.
Unâ tantum hic personâ
Naturarum duo bona
   In se unit unicus.

Matrem ergo deprecamur
Ut a morte retrahamur
   Impetratâ veniâ.
Placa, Mater, iram Nati:
Justê sumus jam damnati
   Et est opus gratiâ.

ANONYMI ITALI

Ex te sola spes salutis;
Pressis jugo servitutis,
    Mater, placa Filium.
Da spem dignê resurgendi
Et aeternum obtinendi
    Tecum, Virgo, praemium.

BEATI INNOCENTIS V. PONT. MAX

(ut fertur)

91.   *Ad Corpus Christi*

AVE, verum corpus natum
    Ex Mariâ Virgine,
Verê passum, immolatum
    In cruce pro homine;
Cujus latus perforatum
    Vero fluxit sanguine,
Esto nobis praegustatum
    Mortis in examine.
        O dulcis! O pie!
        O Fili Mariae!

THOMAE DE CELANO

92.   *Dies Irae*

DIES irae, dies illa
Solvet saeclum in favillâ,
Teste David cum Sibyllâ.

Novus ordo, nova vita
Mundo surgit inaudita;
Restauravit lex sancita
   Statum evangelicum.
Legis Christi pari formae
Reformatur jus conforme,
Tenet ritus, datur normae
   Culmen apostolicum.

Corda rudis, vestis dura
Cingit, tegit, sine curâ;
Panis datur in mensurâ,
   Calceus abjicitur:
Paupertatem tantum quaerit,
De mundanis nihil gerit,
Haec terrena cuncta terit;
   Loculus despicitur.

Quaerit locum lacrimarum;
Promit voces cor amarum,
Gemit maestus tempus carum
   Perditum in saeculo:
Montis antro sequestratus
Plorat, orat, humo stratus;
Tandem mente serenatus
   Latitat ergastulo.

Ibi vacat rupe tectus,
Ad divina sursum vectus
Spernit ima, judex rectus
   Eligit caelestia:
Carnem frenat sub censurâ,
Transformatum in figurâ

Cibum capit de Scripturâ,
  Abjicit terrestria.

Tunc ab alto vir hierarcha,
Venit ecce rex Monarcha :
Pavet iste patriarcha
  Visione territus.
Defert ille signa Christi,
Cicatricem confert isti,
Dum miratur corde tristi
  Passionem tacitus.

Sacrum corpus consignatur,
Dextrum latus perforatur,
Cum amore inflammatur
  Cruentatum sanguine :
Verba miscent arcanorum,
Multa clarent futurorum,
Videt sanctus vim dictorum
  Mysticò spiramine.

Patent statim miri clavi,
Nigri foris, intus flavi ;
Pungit dolor poenâ gravi,
  Cruciant aculei :
Cessat artis armatura
In membrorum aperturâ ;
Non impressit hos Natura,
  Non tortura mallei

Signis Crucis quae portasti,
Unde mundum triumphasti,
Carnem hostem superasti
  Inclytâ victoriâ,

THOMAE DE CELANO

Nos, Francisce, tueamur,
In adversis protegamur,
Ut mercede perfruamur
    In caelesti gloriâ.

Pater pie, pater sancte,
Plebs devota te juvante
Turbâ fratrum comitante
    Mereatur praemia:
Fac consortes supernorum
Quos informas vitâ morum:
Consequatur grex Minorum
    Sempiterna gaudia.

ANONYMI SANGALLENSIS

94.   *De Nativitate Christi*
          Ad Beatam Mariam Virginem

SURGIT radix Jesse, florum
Florem gestans, populorum
    Signum de victoriâ:
Mortem Vita morsu stravit,
Puer fortem superavit,
    Patris redit gratia.

Hic est parvus nobis datus
Ex intactâ matre natus,
    Agnus, pastor ovium:
Qui dum carnis parat vestem
Nullam culpae tenes restem,
    Amoris incendium.

CHORUS.	*Dic, Maria, quando scisti* *Te electam matrem Christi?*
TRES SCHOLARES.	*Vidi virum vultu blando,* *Sic intrantem, non laxando* *Seram suis manibus.*
CHOR.	*Dic, Maria, quid audisti* *Paranymphum dum vidisti?*
SCHOL.	Spinis Adae non inflicta, Ave, *inquit,* benedicta Cunctis in mulieribus.
CHOR	*Dic, Maria, quid sensisti* *Cum es facta mater Christi?*
SCHOL.	*Clavos sensi conjungentes* *Verbum Carni et pandentes* *Clausae portae exitum.*
CHOR.	*Dic, Maria, concepisti* *Quando credens consensisti?*
SCHOL.	*Cum consensi misso credens,* *Ecce venit princeps sedens* *Vitae ferens spiritum.*
CHOR.	*Dic, Maria, quid fecisti* *Quando Christum genuisti?*
SCHOL.	*Matrem Dei me expavi* *Et Infantem adoravi* *Et mirandum reputavi* *Quod dolorem non ploravi.*
CHOR.	*Dic, Maria, dilexisti* *Jesum quem tu genuisti?*

163

SCHOL.   *Post nec ante sic amavi*
          Velut Jesum quem lactavi,
          In amplexu replicavi
          Et os ori duplicavi.

CHOR.   *O Maria, fac gaudere*
          Nos cum Jesu semper verê.

SCHOL.   *Certe spem dat jus nascentis*
          Morsque salvat resurgentis.

CHOR.   *Dic nobis, O pia,*
          Es enixa in viâ ?

SCHOL.   *Nec domus mihi patebat:*
          In stabulo Joseph me fovebat.
          Exsilii testes
          Praesepium et vestes
          Quas nato Regi sternebam :
          Cum bestiis ipsa recumbebam.

          Credendum est magis Mariae soli veraci
          Quam Judaeorum turbae fallaci.
          Scimus Christum peperisse.

JACOBI TUDERTIS

95.   *Sequentia in Feriâ Sextâ post*
       Dominicam Passionis
       (*Septem Dolorum Beatae Mariae Virginis*)

       STABAT mater dolorosa
       Juxta crucem lacrimosa
          Dum pendebat Filius,

JACOBI TUDERTIS

Cujus animam gementem
Contristatam et dolentem
   Pertransivit gladius.

O quam tristis et afflicta
Fuit illa benedicta
   Mater Unigeniti !
Quae maerebat et dolebat
Pia mater dum videbat
   Nati poenas inclyti !

Quis est homo qui non fleret
Matrem Christi si videret
   In tanto supplicio ?
Quis non posset contristari,
Christi matrem contemplari
   Dolentem cum Filio ?

Pro peccatis suae gentis
Vidit Jesum in tormentis
   Et flagellis subditum.
Vidit suum dulcem Natum
Moriendo desolatum
   Dum emisit spiritum.

Eja, Mater, fons amoris,
Me sentire vim doloris
   Fac ut tecum lugeam.
Fac ut ardeat cor meum
In amando Christum Deum,
   Ut sibi complaceam.

Sancta Mater, istud agas,
Crucifixi fige plagas

Cordi meo validê.
Tui Nati vulnerati,
Tam dignati pro me pati,
   Poenas mecum divide.

Fac me tecum piê flere,
Crucifixo condolere
   Donec ego vixero;
Juxta crucem tecum stare
Et me tibi sociare
   In planctu desidero.

Virgo virginum praeclara,
Mihi jam non sis amara,
   Fac me tecum plangere.
Fac ut portem Christi mortem,
Passionis fac consortem
   Et plagas recolere.

Fac me plagis vulnerari,
Fac me cruce inebriari
   Et cruore Filii.
Flammis ne urar succensus,
Per te, Virgo, sim defensus
   In die judicii.

Christe, cum sit hinc exire,
Da per Matrem me venire
   Ad palmam victoriae.
Quando corpus morietur,
Fac ut animae donetur
   Paradisi gloria.

96.   *Tropus tempore Paschali*

O FILII et filiae,
Rex caelestis, Rex gloriae,
Morte surrexit hodie.
   Alleluia.
Et Maria Magdálene
Et Jacobi et Sálome
Venerunt corpus ungere.
   Alleluia.
A Magdalenâ moniti
Ad ostium monúmenti
Duo currunt discipuli.
   Alleluia.
Sed Joannes Apostolus
Cucurrit Petro citius,
Ad sepulcrum venit prius.
   Alleluia.
In albis sedens angelus
Respondit mulieribus
Quia surrexit Dominus.
   Alleluia.
Discipulis astantibus
In medio stetit Christús
Dicens *Pax vobis omnibus.*
   Alleluia.
Postquam audivit Didymus
Quia surrexerat Jesús,
Remansit fide dubius.
   Alleluia.
Vide, Thoma, vide latús,
Vide pedes, vide manús ;

Vitale gaudium,
Post aeternè ridebis
In regno civium,
Beataque tenebis,
Cum mihi cohaerebis,
Intra palatium.

Erras si reperire
Te putas melius.
Totum debet transire
Bonum exterius,
In toxicum redire,
Quod sapit dulcius.
Ergo vitam acquire,
Quae non potest perire,
Vivendo sanctius.

JOHANNIS ABBATIS LANDEVENE-
CENSIS

98. **Rhythmus ad Beatam Mariam**

pro fidelibus defunctis

LANGUENTIBUS in Purgatorio,
Qui purgantur ardore nimio
Et torquentur sine remedio,
Subveniat tua compassio,
   O Maria!

Fons es patens qui culpas abluis,
Omnes sanas et nullum respuis;
Manum tuam extende mortuis,

Qui sub poenis languent continuis,
  O Maria!

Ad te, pia, suspirant mortui
Cupientes de poenis erui
Et adesse tuo conspectui
Et gaudiis aeternis perfrui,
  O Maria!

Clavis David qui caelum aperis,
Nunc, Beata, succurre miseris,
Qui tormentis torquentur asperis:
Educ eos de domo carceris,
  O Maria!

Lex justorum, norma credentium,
Vera salus in te sperantium,
Pro defunctis sit tibi studium
Assiduê orare Filium,
  O Maria!

Benedicta, per tua merita,
Te rogamus, mortuos suscita,
Et dimittens eorum debita
Ad requiem sis eis semita,
  O Maria!

SANCTI THOMAE A KEMPIS

99. *Hymnus de Passione Domini Nostri*
Jesu Christi

TOTA vita Jesu Christi
Crux fuit et martyrium:

Aeterni Parentis
Splendorem aeternum
Velatum sub carne videbimus,
Deum infantem pannis involutum.
Venite adoremus, etc.

Pro nobis egenum
Et faeno cubantem
Piis foveamus amplexibus :
Sic nos amantem quis non redamaret ?
Venite adoremus, etc.

Cantet nunc hymnos
Chorus angelorum,
Cantet nunc aula caelestium :
Gloria in excelsis Deo !
Venite adoremus, etc.

Ergo qui natus
Die hodiernâ,
Jesu, tibi sit gloria,
Patris Aeterni Verbum caro factum.
Venite adoremus,
Venite adoremus,
Venite adoremus Dominum.

FINIS

THE
"HUNDRED BEST" SERIES

contains the 100 best lyrics of foreign
literatures selected by the best critics

Ready

1. LES CENT MEILLEURS POÈMES (LYRIQUES)
   DE LA LANGUE FRANÇAISE. Choisis par
   Auguste Dorchain.

2. *DIE HUNDERT BESTEN GEDICHTE DER
   DEUTSCHEN SPRACHE (LYRIK). Ausge-
   wählt von Richard M. Meyer.

3. LAS CIEN MEJORES POESÍAS (LÍRICAS) DE
   LA LENGUA CASTELLANA. Escogidas por
   Marcelino Menéndez y Pelayo.

4. LE CENTO MIGLIORI POESIE (LIRICHE)
   DELLA LINGUA ITALIANA. Scelte da Luigi
   Ricci.

5. THE HUNDRED BEST POEMS (LYRICAL) IN
   THE LATIN LANGUAGE. Selected by J. W.
   Mackail.

6. AS CEM MELHORES POESIAS (LÍRICAS) DA
   LINGUA PORTUGUESA. Escolhidas por
   Carolina Michaëlis de Vasconcellos.

7. DIE HUNDERT BESTEN GEDICHTE DER
   DEUTSCHEN SPRACHE (EPIK). Ausge-
   wählt von Richard M. Meyer.

8. DE HONDERD BESTE GEDICHTEN (LYRIEK)
   IN DE NEDERLANDSCHE TAAL. Gekozen
   door Albert Verwey.

Others in Preparation

* Supersedes *Die besten Gedichte der deutschen Sprache.
Erstes Hundert. Lyrik. Lembeck,* of which, however, a
limited number can still be had if particularly wanted.

Price of each volume:
with paper cover, 1s. net ; in cloth, 2s. net ;
in leather, 3s. 6d. net ; postage, 1d. extra.

LONDON & GLASGOW: GOWANS & GRAY, LTD.

GOWANS'S INTERNA—TIONAL LIBRARY, 1-10

Neatly Printed, and in Pretty Parchment Covers.

Price, 1s. net per Volume. Post Free 1s. 1d. Each.

1. THE HAUNTED AND THE HAUNTERS, by Lord Lytton, has been called, and probably is, the best ghost-story in the world.

2. THE HEAVENLY FOOTMAN. By John Bunyan. A sermon, but one which the picturesque, racy, and thoroughly original style of its great author raises far above the common, and makes as interesting as "The Pilgrim's Progress."

3. THE MARRIAGE RING. By Jeremy Taylor. The famous treatise on marriage and its duties, by one of the very greatest writers of English prose.

4. THE LADY OF LYONS. By Lord Lytton. This famous play has held the stage since it was first acted.

5. THE TOWER OF NESLE. A Play by Alexander Dumas the Elder. The first translation.

6. EVERYMAN. The famous morality play which is performed so often nowadays.

7. GOBLIN MARKET AND OTHER POEMS. By Christina Rossetti. A reprint of the first edition of 1862. Contains some of the most beautiful lyrics in the language.

8. LES CHEFS-D'ŒUVRE LYRIQUES DE RONSARD ET DE SON ÉCOLE. The selection has been made by the well-known French poet and critic, M. Auguste Dorchain. *Also in cloth, 2s. net, and in leather, 3s. 6d. net.*

9. THE BIRDS OF ARISTOPHANES. The most charming comedy of antiquity.

10. LES CHEFS-D'ŒUVRE LYRIQUES D'ALFRED DE MUSSET. This selection has also been made by M. Dorchain. It contains Musset's best poetry. *Also in cloth, 2s. net, and in leather, 3s. 6d. net.*